COLLI

Romain Gary

Tulipe

Gallimard

Né en Russie en 1914, venu en France à l'âge de quatorze ans, Romain Gary a fait ses études secondaires à Nice et son droit à Paris.

Engagé dans l'aviation en 1938, il est instructeur de tir à l'École de l'air de Salon. En juin 1940, il rejoint la France libre. Capitaine à l'escadrille Lorraine, il prend part à la bataille d'Angleterre et aux campagnes d'Afrique, d'Abyssinie, de Libye et de Normandie de 1940 à 1944. Il sera fait commandeur de la Légion d'honneur et Compagnon de la Libération. Il entre au ministère des Affaires étrangères en 1945 comme secrétaire et conseiller d'ambassade à Sofia, à Berne, puis à la Direction d'Europe au Quai d'Orsay. Porte-parole à l'O.N.U. de 1952 à 1956, il est ensuite nommé chargé d'affaires en Bolivie et consul général à Los Angeles. Quittant la carrière diplomatique en 1961, il parcourt le monde pendant dix ans pour les publications américaines et tourne comme auteur-réalisateur deux films, *Les oiseaux vont mourir au Pérou* (1968) et *Kill* (1972). Il a été marié à la comédienne Jean Seberg de 1962 à 1970.

Dès l'adolescence, la littérature va toujours tenir la première place dans la vie de Romain Gary. Pendant la guerre, entre deux missions, il écrivait *Éducation européenne* qui fut traduit en vingt-sept langues et obtint le prix des Critiques en 1945. *Les racines du ciel* reçoit le prix Goncourt en 1956. Son œuvre compte une trentaine de romans, essais et souvenirs.

Romain Gary s'est donné la mort le 2 décembre 1980. Quelques mois plus tard, on a révélé que Gary était aussi l'auteur des quatre romans signés Émile Ajar.

À LÉON BLUM,
respectueusement.

Le pouvoir des cris est si grand qu'il brisera les rigueurs décrétées contre l'homme.

KAKFA.

NOTE

... POUR SERVIR DE PROLOGUE À UNE VARIATION
SUR LE MÊME THÈME PAR UN DISCIPLE AFRICAIN
DU MAÎTRE EN L'AN CINQ MILLE CINQ CENT ET
DES POUSSIÈRES APRÈS TULIPE.

Nous nous sommes efforcé, au cours de cette brève étude, de faire revivre devant nos contemporains une des plus nobles figures de l'histoire humaine, sans autre but que l'espoir d'éveiller peut-être dans notre temps un humble écho de bonté et de fraternité dont celui-ci a un besoin si pressant.

Nous n'avons point la prétention d'avoir écrit ainsi un ouvrage définitif.

Au cours des âges, des milliers d'œuvres mémorables et autrement érudites ont été et seront longtemps encore composées sur cet immense sujet sans l'épuiser ni même l'embrasser entièrement.

Nous n'avons pas la prétention non plus de nous réclamer uniquement de la plus stricte vérité historique.

Depuis l'époque lointaine où vécut Tulipe, l'humanité a traversé des heures ténébreuses et troubles, dont elle émerge à peine, chancelante et comme hébétée. Les guerres ont succédé aux guerres, les ruines vinrent s'ajouter aux ruines et les cendres aux cendres, si bien que peu de documents authen-

tiques ou dignes de foi nous ont atteint. C'est ainsi qu'à plusieurs reprises nous avons dû faire appel à l'imagination et nous l'admettons avec empressement : nous avons laissé à d'autres le soin d'élaborer des théories savantes et des textes définitifs.

Notre but a été plus simple.

Aujourd'hui, plus de trois mille ans après le sacrifice de celui qui avait ouvert la Voie, nous émergeons comme par miracle du combat où l'avenir de notre race et l'existence même de la société civilisée avaient été mis en jeu.

Notre victoire fut chèrement acquise.

Nos villes ont mordu la poussière, nos campagnes sont dévastées et la fleur de notre jeunesse est tombée.

Or, après ce déchaînement cruel des forces matérielles, il nous semble qu'un grand désarroi se soit emparé des âmes et que les hommes se regardent les uns les autres, muets et tout consternés, les bras ballants, les cœurs vides, ne sachant plus où aller*.

C'est pour leur venir en aide, pour leur montrer le chemin, que nous nous sommes efforcé de faire revivre devant eux un des plus radieux chapitres de notre histoire, pour leur montrer le chemin et aussi pour leur rendre la confiance dans l'homme, dans son œuvre et dans son destin.

---

* Il y a un bon bistrot français au coin de la Troisième Avenue et de la 42ᵉ Rue. Ouvert toute la nuit. (Note de la main de Tulipe.)

Notre monde a besoin de foi, l'humanité ne saurait vivre sans croire.

Les fidèles nous reprocheront peut-être un traitement un peu naïf, voire trivial, d'un si grand sujet et les érudits protesteront sans doute contre ce qu'ils seront tentés d'appeler un effort de vulgarisation.

À ceux-là nous répondrons qu'il est des valeurs humaines et des gloires si élevées, que nul, jamais, ne saurait les vulgariser, même en s'y acharnant.

Et nous avons ménagé toutes les opinions, respecté, espérons-nous, toutes les croyances.

En toute simplicité, nous avons couru au plus pressé : nous avons voulu frapper les esprits avant qu'il soit trop tard.

Car après tous les grands conflits de l'histoire, il y a toujours eu, soit une renaissance splendide de la foi, soit des révolutions barbares.

Notre humble contribution ne doit pas être considérée comme autre chose qu'une tentative désespérée et peut-être vaine de parer in extremis *à cette dernière éventualité**.

---

* Les premiers témoignages des contemporains de Tulipe ayant été rédigés dans une langue morte, et certaines références historiques à des événements obscurs (crucifixion, libération, révolution, etc.), ou à des termes ayant perdu leur sens (Américain, Russe, idéologie, cœur, sacrifice, pizza, tata, Hitler, Résistance, héros, vase de nuit, etc.), risquant de dérouter les lecteurs, nous avons cru devoir ajouter quelques explications, dans la mesure du possible, ici et là. (Note de la main de Tulipe, en marge du manuscrit, considérée du reste comme apocryphe par les premiers disciples. Voir notamment : *Cynisme, Idéalisme, et Terrorisme,* du professeur Jean-Pierre Kurasawa.)

I

Patron, ne vous frappez pas

Tulipe prit la flûte sur l'armoire et se réfugia sur son lit*. Il porta la flûte à ses lèvres et joua *L'Après-midi d'un Faune*, d'une traite, en fermant les yeux. Il jouait bien. On voyait vraiment, au milieu de ce meublé sordide de Harlem, un étang aux cygnes assoupis, la tête sous

---

* Contrairement à certaines thèses qui avaient cours il y a encore quelques années, et selon lesquelles le véritable nom de Tulipe aurait été Jésus-Christ, ou Cri (du mot archaïque *crier*, appeler au secours), nous savons aujourd'hui avec certitude que le Fondateur s'appelait en réalité Maurice Viauque de Monjoli. «Tulipe» semble avoir été le nom de guerre sous lequel il avait milité dans la Résistance. *Résistance* : action opposée de 1940 à 1945 par le peuple allemand à l'envahisseur, au moment où les armées françaises avaient occupé l'Allemagne sous le commandement d'un «chef» qui s'appelait Charles de Gaulle. Ce dernier avait finalement été vaincu à Stalingrad par les Chinois et se suicida avec sa maîtresse Eva Braun dans les ruines de Paris. Malgré les études définitives publiées sur ce sujet en l'an 3947, après la découverte de la Terre, il existe encore de nombreux points obscurs dans ces événements, tels que les références fréquentes dans la littérature de l'époque au Guide Michelin, Michelin étant probablement une altération de Mussolini, un des «guides» de ce temps, connu par son attachement à la liberté.

l'aile, des buissons de roses blanches le long des murs et une nymphe rêveuse, penchée sur le lavabo ébréché, où traînaient des mégots, des assiettes sales et une brosse à dents... «J'ai faim.» Il laissa tomber la flûte et se mit à regarder le plafond avec attention. «Quel jour sommes-nous?» Il se passa la main sur la joue, distraitement. «Je devrais me raser.» Il faisait froid, dans le grenier. «Mars, 15 mars 1946», se rappela-t-il soudain, avec soulagement, comme si cela avait de l'importance, les jours, les mois, les années. «J'ai très faim.» Il continua à caresser sa joue, d'un geste d'automate. «Les souris ont fait du bruit toute la nuit. Demain, ça va faire six mois que j'ai quitté l'Europe.» Il se pencha et regarda ses pantoufles, sur la descente de lit, longuement, avec curiosité. «Il y a neuf mois, j'étais encore à Buchenwald. C'est assez marrant.» Il demeura penché, à regarder ses pantoufles, en sifflant *Deutschland über alles*, distraitement, par habitude. «Il y a neuf mois, j'étais à Buchenwald. Maintenant, j'ai des pantoufles.» Il se coucha sur le dos et contempla le plafond, ses taches,

_____

(Note de la main de Tulipe, en marge de ce texte, ce qui consti-tue un anachronisme de faussaire particulièrement grossier : *Ha! Ha! Ha! Mort aux vaches. Je voudrais bien trouver un éditeur. Trois cents grammes de bifteck, cent grammes de petits pois, du beurre. Demander à Leni de passer à la blanchisserie chercher le linge.*)

son plâtre humide, ses toiles d'araignée. «Visitez la Californie, son soleil, ses plages, ses jardins parfumés.» Il voyait flotter dans l'espace un astre nouveau : un gigot de mouton, avec des pommes de terre-satellites. Il avait très faim. «Je devrais me laver, m'habiller, sortir dans la rue, marcher un peu. Un peu d'exercice, ça fait du bien.» Il bâilla. «Où est passé le vieux nègre? Il va encore rentrer ivre mort et sans le sou. Ça va mal.» Ça allait mal : deux fois par semaine, le gérant italien de l'immeuble venait réclamer l'arriéré du loyer.

«Donnez-nous encore huit jours, suppliait Tulipe. Je vais chercher du travail. — Payez ou partez! — Caruso, entre Européens réfugiés... — Ha! Des injures! Je suis citoyen américain depuis deux ans et je vous défends de m'insulter. — Caruso, lorsque au milieu de l'Océan déchaîné, sur un radeau minuscule, vous ramassez le survivant famélique d'un bateau torpillé, irez-vous lui réclamer le prix du passage? — Je ne m'intéresse pas au droit maritime. — Répondez. — Je pense que oui, si vous voulez le savoir. Sans quoi, qui donc irait torpiller des bateaux, au milieu de l'Océan? — Vous venez d'entendre, glapissait oncle Nat, le porte-parole de la civilisation occidentale! — Civilisation? Ha! des injures!» s'indignait Caruso. La porte grinça et oncle Nat se glissa dans le grenier, sa boîte de cirage sous le bras. C'était un vieux Noir*, plié en deux par l'âge et le métier, au visage doux et bienveillant. Oncle Nat portait une très jolie vareuse verte, richement dorée, avec une double rangée de douze boutons étincelants sur le ventre et une casquette, également dorée, avec de grosses lettres d'or : « Central Hotel », au-dessus de la visière. La vareuse était la propriété de l'oncle Nat, il l'avait volée jadis dans un théâtre de province où il était gardien de nuit. Sur la poitrine, il portait de nombreuses décorations, qu'il briquait soigneusement tous les matins : c'était là un souvenir du temps où il avait servi d'aide à un dompteur, dans un cirque ambulant. Le dompteur s'était fait dévorer par un lion

---

* *Noir*, ou *nègre*. Se dit également : *juif*. Terme général désignant des êtres inférieurs issus du singe. En anglais : *Shit-eaters*. Divers produits chimiques avaient été inventés afin de les éliminer et de protéger les récoltes. Connus également sous le nom de *phylloxera*. Les *nègres* se reconnaissaient à la longueur de leur nez ; ils avaient les oreilles décollées et on trouvait de l'argent à l'intérieur. Ils étaient protégés surtout par un « guide » dont ils n'ont jamais cessé de chanter les louanges et qu'ils ont toujours refusé de renier, malgré les persécutions et les tortures, Adolf Hitler. Des documents récemment mis au jour et publiés depuis le retour de nos cosmonautes après leur séjour de six mois sur la Terre prouvent d'une manière irréfutable que le véritable nom d'oncle Nat était Samuel Natanson et que le terme « Noir » n'était utilisé que comme synonyme de *souffrance, oppression, esclavage, ignorance, avitaminose,* etc., etc. Exemples : misère noire, souffrance noire, horizon noir, idées noires. N'a acquis son sens de homme (habitant de la Terre) qu'avec la disparition des Blancs. Blancs : une aspiration confuse à quelque chose, qui finit généralement par un massacre.

nommé Brutus, un soir de gala au profit des orphelins de guerre, après que le directeur eut demandé à tous les membres de la troupe de donner le meilleur d'eux-mêmes, « et tout le monde disait qu'après ça, on ne pouvait pas en vouloir au lion et qu'enfin, c'était pour une bonne cause et qu'il fallait voir les choses en grand, avec générosité, sans s'arrêter aux détails mesquins ». « Du cœur, de l'imagination, voilà ce qu'il nous faut, mais le lion fut abattu quand même. Les hommes sont comme ça, et je n'ai pu récupérer de mon patron que les médailles et les moustaches ; j'ai envoyé ces dernières à la veuve dans un médaillon, avec un mot gentil, et ce qu'il nous faut, c'est de la sympathie, de la générosité, on ne fait rien de grand sans amour. » Le vieux cireur posa sa boîte dans un coin et jeta à Tulipe un regard affectueux.

— Patron, ne vous frappez pas.

— Je ne me frappe pas. Ils peuvent tous crever.

— Ils crèveront tous, patron, ne vous frappez pas. Bientôt, le Seigneur va se fâcher et il va se lever de son nuage et il va retrousser ses manches et il va choisir sa plus grande colère et tout balayer, ici-bas, les mers et les continents, les dromadaires et les sauterelles...

— Les dromadaires, oncle Nat ? Pourquoi les dromadaires ?

— Et pourquoi pas, par la force qui me fit nègre ? Qu'est-ce qu'ils ont fait pour améliorer le sort des Noirs, les dromadaires, depuis des milliers d'années qu'ils ruminent ? Pas de pitié pour les ruminants, patron, ils seront balayés.

— Ils seront balayés, oncle Nat. Moi, je veux bien. Nous allons vers une rapide extinction des classes moyennes.

— Ils seront balayés avec les brins d'herbe et les grandes forêts, avec les hommes et les pauvres nègres et il ne restera plus rien, ici-bas, que la terre molle et épluchée, qui flottera partout dans la grande colère du Seigneur, comme une... comme un bouchon. Je vous apporte à manger.

Il ôta sa vareuse et la déposa soigneusement sur le dossier d'une chaise. Il n'avait pas de chemise. Il portait ses bretelles à même sa poitrine osseuse et nue. Le poil était blanc mais vigoureux. D'une poche, il sortit un sandwich enveloppé dans un journal. On distinguait quelques titres : « Les Japs sont-ils des êtres humains ? » et plus bas : « Harry Truman déclare : Le racisme sera extirpé d'Allemagne et du Japon. » Plus bas encore : « Émeutes racistes à Détroit. Quelques morts. » Il tendit le casse-croûte à Tulipe.

— Patron, ne vous frappez pas.

— Je ne me frappe pas.

— Car dans la triste nuit sans lune, dans le

grand silence sans feuilles, le Seigneur se mettra alors à marcher sur la terre vide, recréant de toutes pièces un monde meilleur, plantant, là, une forêt, là, une violette, créant, là, un âne, là, une fourmi, là, un nénuphar au bec pointu...

— Le nénuphar, oncle Nat, n'est pas un oiseau, s'il vous plaît. C'est une fleur aquatique.

— ... Bégayant dans sa sainte barbe où la première rosée du jour nouveau tremblera à chaque mot. «Mais pour le bonhomme, adieu. On ne m'y reprendra plus.»

— N'y a-t-il vraiment rien à faire, oncle Nat?

— Rien.

— Sûr?

— Je serai impitoyable.

— Mais encore?

— Je créerai peut-être un pauvre nègre.

— Pourquoi un pauvre nègre, oncle Nat?

— Le Seigneur a besoin d'amour. Et où se trouvera-t-il plus d'amour que dans le regard d'un pauvre nègre?

— Nulle part.

— Mais cela ne durera pas longtemps, patron. Un soir, alors que mon nègre sera bien seul et bien triste sur la terre encore humide et qu'il recommencera à grimper sur les arbres en hurlant, le Seigneur prendra pitié de lui et lui donnera une compagne... Et tout sera foutu de nouveau, patron.

— Tout?

— Tout. Même les nègres deviendront blancs et il y aura de nouveaux massacres et, bientôt, la terre sera plus vide que la lune le dimanche...

— Pourquoi le dimanche, oncle Nat?

— Qui donc irait passer ses dimanches dans des ténèbres froides?

— Personne, oncle Nat, personne. Je vous demande pardon.

— Les grands continents flotteront à la dérive sur les mers et les océans comme des noyés, et il n'y aura plus personne ici-bas pour aimer le chant du rossignol...

Le vieux nègre se battit avec sa chemise de nuit, se glissa sous les couvertures.

— Mais ne vous frappez pas, patron.

— Je ne me frappe pas.

— Car tout cela n'empêchera pas le rossignol de chanter.

— Vraiment?

— Vous pouvez compter entièrement sur moi, patron.

La voix pâteuse grommela, sous les couvertures :

— Et qu'il reste quelque part un rossignol déplumé mais libre, heureux de chanter sur une branche dans la nuit, quel autre espoir est-il laissé à l'humanité?

II

Premier dialogue entre l'esclave et son maître

— *Vous, je me méfie de vous.*

— *De moi, Pukka Sahib ? Mais je ne suis qu'un pauvre esclave européen sous-alimenté. Je fais le malin, je grogne, mais, en réalité, je suis à vendre. Voulez-vous m'acheter ?*

— *Voyons un peu les dents. Hum ! Avez-vous une âme ?*

— *Point. Jamais eu. Sais pas ce que c'est.*

— *Des convictions politiques ?*

— *Moi ? Mais vous me prenez pour un homme libre, ma parole ?*

— *Vous venez pourtant de gagner une guerre.*

— *Lorsqu'une guerre est gagnée, mon Maître, ce sont les vaincus qui sont libérés, pas les vainqueurs.*

— *Faites voir encore vos dents. Que pensez-vous du capitalisme ?*

— *C'est le dos, mon Maître, qu'il faut voir. Un sacré dos. Ça, c'est un dos.*

— *Que pensez-vous de l'impérialisme ?*

— *Et les bras, mon Maître, voyez un peu les*

bras! Avez-vous une usine? Une mine de charbon?
Je suis l'homme qu'il vous faut.

— Respectez-vous les banques?

— Pukka Sahib! Chaque fois que j'en croise une,
je me signe, parole d'honneur.

— Êtes-vous patriote?

— Profondément. Nationaliste jusqu'au bout des
ongles. Du reste, je viens de demander ma natura-
lisation au gouvernement des États-Unis.

— Voulez-vous changer, par la force, la structure
politique et les institutions de ce pays?

— Non, je suis jeune, Pukka Sahib, je suis prêt
à attendre que ça croule tout seul.

— Me voilà un peu rassuré. Vous pouvez continuer votre histoire.

— Merci, Pukka Sahib. Soyez béni, mon Maître.
Oserai-je solliciter l'honneur de porter votre porte-
feuille en signe de confiance?

— Voilà, voilà.

— Merci mille fois, mon Maître... Allah soit sur
vous comme un épervier.

Tulipe se coucha sur le dos, joignit les mains
sous sa nuque, regarda le plafond : l'humidité
dessinait sur le plâtre des îles et des continents,
tout un univers enchevêtré et sombre. « Comme
si celui-ci ne suffisait pas. » Il regarda avec hosti-
lité une tache particulièrement étendue et sale.
« Celle-là doit prétendre à l'hégémonie du pla-

fond. Elle sent qu'elle a une mission spirituelle à remplir...» Il ferma les yeux : «Ça devient une obsession.» La porte grinça et Leni entra dans le logis, un panier à provisions sous le bras. Elle avait dix-sept ans, une peau absolument sans précédent dans l'histoire de la tannerie, des cheveux roux et les yeux innocents de sa mère, une danseuse nue que l'oncle Nat avait bien connue à Berlin, dans une boîte de nuit où il était portier. «En ce temps-là, les hommes de bonne volonté venaient de gagner une guerre, l'odieux agresseur gisait abattu à jamais, et les peuples libres allaient bâtir enfin une société meilleure, basée sur la justice et le respect de la personne humaine ; ils allaient expurger enfin les manuels d'histoire, rééduquer les vainqueurs comme les vaincus, donner à tous du pain, du travail et de la lumière...» Tulipe marmonnait quelque chose en faisant des gestes désordonnés comme pour chasser des mouches.

— Patron, ne vous frappez pas, dit Leni. Et ne pensez donc pas toujours à ces choses-là.

— Quelles choses ?

— Vous savez bien. Tenez, j'apporte le déjeuner.

— Quelque chose à boire pour le pauvre nègre ?

— Le pauvre nègre a assez bu comme ça.

Oncle Nat déplora longuement les mœurs

des jeunes générations, leur prétention de tout savoir, de tout connaître et de mener leur vieux père par le bout du nez. A-t-on jamais vu une chose pareille? Si j'avais parlé ainsi à mon pauvre père, il se serait deux fois retourné dans sa tombe. J'ai toujours respecté mon pauvre père grandement, il venait souvent à la maison, me prenait sur ses genoux, et ma pauvre mère disait toujours : «Allons, allons, dis bonjour au Monsieur...»

— Debout, patron. Lavez-vous un peu la figure et brossez-vous les dents.

— Je ne veux pas, grogna Tulipe.

— Où est le savon?

— Nous menons une vie très simple, biblique, intervint oncle Nat, avec hauteur. Ah! les enfants d'aujourd'hui, ils n'ont plus de cœur, plus de conscience, plus d'âme du tout. Si j'étais une jolie fille comme ça et si j'avais un noble père comme moi, mon père ne cirerait jamais un soulier, il serait toujours vêtu de lin blanc et lirait la Bible toute la journée, assis dans un champ de coton tout blanc, sous le ciel bleu parmi les moutons frisés. Je sais comment je ferais si j'étais une jolie fille bien roulée comme ça...

— Où est le savon?

— Il y en avait bien un bout sous l'armoire, mais je crois que les souris ont fini par le bouffer.

— Frottez-vous tout de même la figure, patron... Là. Ne vous laissez pas aller. Nous ne sommes pas à Buchenwald, ici...

— Non, grommela Tulipe, nous sommes dans le petit village à côté.

— Quoi?

— Rien.

— À qui est cette brosse à dents?

— Comment à qui? À nous.

— On s'en sert pour remuer le sucre, expliqua oncle Nat.

— Rincez-vous tout de même la bouche, patron. Ne vous sentez-vous pas mieux? Bon, je file. Je vais poser pour cette réclame de soutien-gorge.

— Nue?

— Les seins seulement. Tata!

Oncle Nat rentra la tête sous ses couvertures, Tulipe prit un sandwich et se mit à manger. «Ce n'est pas Buchenwald qui est horrible, ce n'est pas Belsen que je n'arrive pas à oublier.» Il continua à mâcher, distraitement. «Ce que je ne pardonne pas, ce n'est pas Dachau, cette ville de trente mille habitants voués à la torture, mais le petit village à côté, où les gens vivent heureux, travaillent dans les champs et respirent l'odeur de foin et de bon pain chaud...» Il ramassa les miettes dans le creux de sa main, puis les jeta dans sa bouche. «Le petit village à côté, avec ses gosses qui vont cueillir les marguerites dans les champs, les mères qui chantent des berceuses à leurs petits, les vieilles gens qui sommeillent sur le banc devant leur maison, le cœur en paix, le paysan qui donne à boire à ses bêtes, caresse son chien, aime sa femme... »

— *Ce village est allemand, mon ami. Nous ne sommes pas responsables. Cessez de m'importuner et passez votre chemin.*

— *Nous l'habitons tous, Pukka Sahib. Nous habitons tous le village à côté, nous écoutons la musique, nous lisons des livres, nous faisons des plans pour passer les vacances à la mer, nous habitons tous le village à côté; la conscience, ce n'est pas une question de kilomètres.*

— *Pourquoi croyez-vous donc que nous nous sommes battus ?*

— *Pour défendre la paix de notre village et les jeux de nos enfants. Et maintenant nous voilà de retour, assis de nouveau au soleil, heureux d'entendre les meuglements familiers des troupeaux qui rentrent, de voir la poussière des sabots monter dans le soleil couchant, et le sourire bête et fat est de retour sur nos lèvres comme un charognard qui revient toujours percher sur la même branche, et qu'importe si le reste du monde est toujours un immense camp de mort lente, un grand Dachau, un Buchenwald des*

30

familles, pourvu que chantent les oiseaux et jouent
les lapins mignons, dans notre petit village à côté?

— Allons, patron, mangez. Vous n'êtes pas
en train de vous frapper, au moins?

— Je ne me frappe pas, oncle Nat. Je rêve
un peu.

Tulipe remua le sucre dans son café avec la
brosse à dents. «Si on avait le courage de ses
idées, on ferait la grève de la faim pour protester enfin contre le village maudit, le petit village heureux et paisible qui dort en marge de
la misère du monde. Si on avait le courage de
ses idées.» Il ricana.

— Qu'est-ce qu'il y a, patron? Qu'est-ce
qu'il y a de drôle?

— Rien. Je rêve un peu.

Il but un peu de café. «On pourrait même
lancer ainsi un de ces grands mouvements
humanitaires, avec de jolis slogans comme "À
bas l'isolationnisme des consciences! Pour une
humanité solidaire et indivisible, unissez-vous!
Contre le petit village à côté, tous unis et en
avant! Nous voulons que d'une communauté
de souffrance sorte enfin une communauté
d'action!" Ce ne sont pas les slogans qui
manquent.» Il but une gorgée, pensivement et
se figea soudain, le verre à la main.

— Nom de Dieu! hurla-t-il.

Natanson fit un bond et renversa le café sur son pantalon.

— Ne vous frappez pas, patron, ça va peut-être s'arranger...

— Je viens d'avoir une idée de génie !

— Eh bien, tuez-la dans l'œuf, patron. Sans quoi, elle risque de faire des petits.

— Une formidable escroquerie ! Une prodigieuse affaire !

Natanson posa sa tasse sur la moquette.

— Qu'est-ce que c'est encore, comme cochonnerie ?

— Une idée si belle et si simple ! gueulait Tulipe.

Leni le regardait avec admiration.

— J'adore les intellectuels !

— Mes enfants, on va faire un fric fou !

Natanson effaçait le grimage noir de sa joue, regardant Tulipe avec une extrême méfiance. C'était un mélange à base de cirage et de iodonite, assez bien réussi ; il n'y avait que le nez et les oreilles qui le trahissaient encore un peu. Le calcul était très simple. Le jour où ça viendra, il pourra immédiatement prouver qu'il n'était pas un Noir, et être soudain à l'abri des persécutions, un immense soulagement, un rêve merveilleux qui l'avait hanté en Europe, alors qu'il se terrait de cachette en cachette, pourchassé comme juif par les nazis. Ainsi, lors de son arrestation à Paris, s'il avait pu ouvrir

sa braguette et prouver qu'il n'était pas circon-
cis... Imaginez cela : les Noirs sont menacés de
génocide, vous êtes arrêté, et d'un coup
d'éponge et de détergent, vous prouvez que
vous n'êtes pas un Noir. Il vivait ainsi dans
l'attente de ce prodigieux moment de soulagement qu'il n'avait jamais connu.

— Patron, je ne connais pas votre idée, mais
je vous préviens qu'elle ne me dit rien qui
vaille !

— Ça ne peut pas rater. Écoutez-moi attentivement. Tout ce qu'il me faut, c'est une ton-
deuse, une paire de lunettes métalliques, un
drap de lit bien propre et un rouet à filer de
la laine.

III

Quelque chose de nouveau ?

Une partie de l'équipe de nuit de *La Voix des Peuples* jouait aux cartes dans la salle de rédaction. L'un d'eux était un petit nègre chauve, avec de fortes lèvres sous une moustache fine et des oreilles décollées. Son nom était Jefferson, mais tout le monde l'appelait Flaps. L'autre était un individu maigre au nez triste ; d'épaisses lunettes d'écaille sombre donnaient à son visage un air de deuil. Il s'appelait Grinberg et ce nom lui allait bien. Le reste de l'équipe dormait dans un large fauteuil de cuir. Son nom était Biddle. Le chapeau sur les yeux, il ronflait. Mais il avait beau cacher son visage, ses ongles, les carreaux excentriques de sa veste, tout en lui criait le sang nègre. Il était trois heures du matin. Sur la table, le téléprinter débitait en toussant son ruban sans fin. Le jour, personne n'y faisait attention. La nuit, il s'imposait comme un voisin malade qui tousse. Par terre, un chien sans race faisait la chasse aux puces.

— Du nouveau? demanda Flaps.

— Charlie Chaplin dans une affaire de paternité, dit Grinberg.

— Encore?

— Il a été acquitté... L'ennui avec ce type-là, c'est qu'il n'a pas de sang noir. On ne peut pas le lyncher sans preuves.

Le chien essaya d'attraper une puce, se mordit et se plaignit amèrement.

— Pluto, bon chien, dit Grinberg. Bon Pluto, il n'a pas de sang nègre. Très bon chien, Pluto.

Il se pencha, l'embrassa tendrement sur le museau.

— Je hais les gens qui appellent leur chien Pluto, déclara Flaps. Depuis combien de temps as-tu cette sale bête?

— Deux ans. Depuis que ma femme m'a laissé un mot en me disant qu'elle partait avec un journaliste qui avait du talent.

— Ce n'est pas la peine d'être désagréable, dit Flaps.

— Je ne t'en veux pas.

— Merci.

— Tu n'as pas de talent, dit Grinberg.

Biddle ronflait sous son chapeau.

— J'ai ouvert, dit Flaps. Eh bien, depuis deux ans tu aurais pu t'apercevoir que ton chien est une chienne.

— Mes rapports avec Pluto sont entièrement platoniques, dit Grinberg avec dignité. J'ai suivi.

— Couleur, dit Flaps.

Grinberg jeta ses cartes.

— La foi, commenta Flaps, il te manque la foi. On ne peut rien faire sans croire, on ne peut même pas gagner aux cartes.

Costello entra dans le bureau. Il jeta son chapeau sur la table, s'accroupit près du chien, se mit à le caresser. Ses cheveux étaient presque lisses, ses lèvres très minces, mais ses pommettes, ses yeux, son teint mat, tout en lui criait le sang nègre.

— Bon chien, Pluto. Très bon chien.

— C'est une chienne, dit Flaps.

— Obsédé sexuel, dit Grinberg.

— De quelle race est-elle? demanda Flaps.

— Ça va, dit Grinberg. Laisse les races tranquilles.

— Poupard irlandais? Fox à poil mou? Juif allemand?

— Il n'a pas de sang nègre. C'est tout ce qui compte.

— En cherchant bien, dit Flaps.

— C'est un Aryen, dit Grinberg. J'ai des papiers qui le prouvent.

Les mégots s'entassaient dans les cendriers. La machine radotait de sa voix de grand-père gâteux.

— Du nouveau? demanda Costello.

— Que veux-tu qu'il y ait de nouveau? Une autre guerre?

— Toutes sortes de choses peuvent arriver.

— Par exemple?

— Je ne sais pas, moi. Pluto peut se mettre à parler soudain d'une voix humaine.

— Il ne dirait rien de nouveau, affirma Grinberg.

Ils fumèrent en silence. Biddle ronflait. La machine toussait, crachait son ruban interminable. «La conférence de paix compte terminer ses travaux d'ici deux ans. Encore cinq millions d'hommes qui meurent de faim au Bengal...» Le papier venait crever dans la corbeille, enroulé comme un serpent malade. «Le programme des constructions navales aux États-Unis... On estime que six millions de paysans chinois mourront de faim cette année... La bombe atomique... Harry Truman déclare... Un nègre lynché dans Indiana... Harry Truman répond... Les grèves en Angleterre. Les taudis en France. La suprématie de la race blanche... Les Droits sacrés de l'Occident.» La machine toussait de sa vieille toux chronique, impitoyable. Costello soupira.

— Pourquoi soupires-tu?

— Je ne sais pas. Il y a longtemps que les hommes ont oublié pourquoi ils soupirent.

— La pomme, dit Flaps.

— Quoi?

— La pomme. Le serpent. Le péché originel. Deux paires aux as.

— J'ai un brelan, dit Grinberg. Flaps, pourquoi es-tu devenu journaliste?

— Je n'avais pas le choix. Je crevais de faim.

Biddle cessa soudain de ronfler et se mit à gémir. Il faisait un rêve; vêtu d'une culotte courte et d'une jolie blouse de marin au col bleu, il court après une balle dans un jardin public. Des papillons blancs voltigent partout, de petits nuages blancs jouent dans le ciel. Des moutons blancs paissent dans l'herbe; sur l'étang, d'autres petits garçons jouent avec des voiliers tout blancs. Biddle meurt d'envie de se mêler à eux, mais il vient d'entendre une maman dire : «Il ne faut pas jouer avec ce petit garçon, c'est un petit nègre.» Le cœur gros, Biddle court après la balle et le soleil brille, les papillons volent et il y a des marguerites partout, sauf dans son cœur où il n'y a ni soleil, ni papillons, ni marguerites. Il vient de buter contre une vieille dame, elle caresse ses cheveux crépus et demande gentiment : «Petit garçon, petit garçon, quel âge as-tu?»

— Qualante-quatle ans, dit Biddle.

Flaps et Grinberg s'arrêtèrent de jouer et le regardèrent un moment avec espoir. Mais Biddle ne dit plus rien d'intelligible.

IV

La nuit, c'est tout ce qu'on mérite

— Quelqu'un doit montrer le chemin, dit Flaps. Ce qui manque au monde, c'est une grande et belle figure.

— Un Führer, dit Grinberg.

— Une figure de proue, dit Flaps.

— Quand j'étais petit, dit Costello, j'attrapais des mouches et je les mettais dans une bouteille. Je bouchais la bouteille. Je les écoutais bourdonner.

— Charmant petit, dit Grinberg.

— Depuis, les mouches ont pris leur revanche. Tout ce que nous pouvons faire, c'est bourdonner.

— N'exagérons rien, protesta Flaps. Nous avons les neiges de l'Himalaya, les mers chaudes, les récifs de corail...

— Bzz, fit Grinberg, bzz.

— Nous avons la pénicilline, des chiens qui nous aiment, Homère, Jésus, Lénine...

— Bzz, fit Grinberg, bzz.

— Sale Juif, dit Flaps.

— Sale nègre, dit Grinberg.

— Bzz, fit Costello, bzz, bzz, bzz.

Il se leva et alla ouvrir la fenêtre. L'air frais les envahit comme un sang nouveau.

— Le jour se lève.

— Pas moyen de l'empêcher? s'enquit Grinberg.

— Pas moyen.

— La nuit, dit Grinberg, c'est tout ce qu'on mérite.

— La foi, dit Flaps. Il lui manque la foi. On ne peut pas vivre sans croire.

— Une sale nuit, dit Grinberg, froide, noire et sans sucre, comme le café des mauvais lieux...

Il se leva lourdement et se traîna jusqu'à la fenêtre. Avec son pardessus jeté sur les épaules, les manches vides battant comme des ailes fatiguées, son nez triste et ses yeux pâles, il avait l'air d'un vieux hibou. Il se pencha. Harlem commençait à sortir de ses poubelles. Un jour blafard traînait sur les trottoirs.

— On a envie de l'aider, dit Flaps.

— Toi et ta charité chrétienne, dit Grinberg.

— Et voilà tout ce qu'il y a de nouveau, dit Costello. Le jour qui se lève. Un peu maigre, pour la première édition.

— En l'arrangeant un peu... dit Grinberg.

Il proposa :

— Le jour monte comme un drapeau blanc au-dessus des ruines.

— Le jour revient rôder sur les lieux du crime, offrit Costello.

— Il vient s'assurer que tous les morts sont bien morts, déclama Grinberg.

— Et que toutes les plaies sont bien ouvertes.

— Bzz, fit Flaps, avec triomphe, bzz.

— Il est pressé. Il faut qu'il passe à la banque, dit Grinberg.

— Et qu'il fouille dans les poubelles pour trouver un morceau de pain.

— Il faut qu'il paie ses dictateurs, dit Grinberg.

— Il faut qu'il fusille quelqu'un, dit Costello.

— Bzz, bourdonna Flaps, bzz.

— Il vient avec sa grandeur et sa mission spirituelle.

— Il vient avec son verre de rhum et sa bombe atomique.

— Bzz, fit Flaps, bzz.

— Sale nègre, dit Grinberg.

— Sale Juif, dit Flaps.

— Bzz, fit Costello, bzz, bzz.

Le garçon de l'ascenseur entra dans le bureau avec un plateau chargé.

— Il vient avec du café chaud, des toasts et des «Lucky Strike», dit Grinberg.

Le café fumait agréablement. Ils burent en se brûlant les lèvres. Le garçon se tourna vers Flaps.

— Il y a un nègre, en bas, qui demande à vous voir, monsieur.

— Quel genre de nègre?

— Un très vieux nègre vraiment, monsieur, dit le garçon avec admiration. Le plus vieux nègre que j'aie jamais vu vivant, monsieur. Ça fait plaisir de voir un vieux nègre comme ça, monsieur, ça prouve qu'on peut tout de même vivre longtemps, monsieur, en essayant bien, monsieur.

— Qu'est-ce qu'il veut?

— Il dit qu'il a un événement d'une importance mondiale à vous vendre, monsieur. Un très vieux nègre, monsieur. C'est étonnant de voir un si vieux nègre si tôt le matin, monsieur.

— Ça va bien, dit Flaps, écœuré. Faites-le monter.

Le garçon s'en alla en emportant sur son plateau les cendriers bourrés.

— Des nègres partout, observa Grinberg, le nez dans son café.

— Il faut dire : des Noirs, grommela Biddle. C'est plus poli. Des Afro-Américains, ça change

42

tout, tu comprends. La dignité, il n'y a que ça qui compte.

La porte fut ouverte discrètement et oncle Nat se glissa dans le bureau, revêtu de sa belle tunique verte. Il avait l'air d'une vieille sauterelle.

— Bonjour, messieurs, fit-il, en ôtant sa casquette.

Il baissa la voix et prit un air important et confidentiel.

— J'ai eu vent, messieurs, d'un événement sensationnel qui intéressera sûrement vos lecteurs, messieurs. Un événement tout à fait sensationnel et exclusif, messieurs.

— Un crime ? demanda Flaps, encourageant.

— Il y a un homme, à Harlem, dit oncle Nat, il y a un homme, à Harlem, qui meurt de faim.

Flaps fit la grimace. Grinberg poussa un croassement de joie.

— Il y a des millions de gens qui crèvent de faim dans le monde, dit-il, si vous croyez qu'on parle de chacun d'eux dans les journaux...

— Mais celui-là meurt de faim à New York, s'obstina oncle Nat. En plein cœur de New York.

— Sans intérêt, trancha Flaps. Des milliers de types crèvent de faim à New York. Moi-même, j'ai crevé de faim à New York. Ça n'intéresse personne.

— On commence toujours par crever de faim, à New York, jusqu'au jour où l'on fait crever de faim les autres, dit Grinberg. C'est ce qu'on appelle « réussir ».

— Mais celui-là, dit oncle Nat, très doucement, celui-là meurt de faim VOLONTAIREMENT.

Il y eut un silence. Biddle se réveilla en sursaut.

— Comment ça, volontairement ? bégaya Flaps.

— Comme ça, dit oncle Nat. Il fait la grève de la faim.

— Pourquoi ça ? fit Grinberg, d'une voix rauque.

Oncle Nat ouvrit la bouche, mais ne dit rien et commença seulement à fouiller dans ses poches, avec application.

— Attendez, je l'ai noté sur un bout de papier, quelque part... Voilà.

Il mit ses lunettes, posément.

— Pour protester contre la misère dans le monde, lut-il. Pour rendre enfin le goût du sacrifice aux hommes et leur montrer la voie. Pour éveiller dans notre époque avilie un grand écho de fraternité et de solidarité humaines...

— Gandhi, murmura Costello. Le Gandhi de New York. Ça sonne bien. C'est un Noir ?

— Un Blanc, dit oncle Nat.

— Le Blanc Mahatma de Harlem! hurla Flaps.

Biddle se leva d'un bond. Grinberg saisit son chapeau.

— On y va? glapit-il.

V

Le Blanc Mahatma de Harlem

Tulipe était assis au milieu du grenier, sur la descente de lit, et filait de la laine. Des lunettes de nickel tremblaient au bout de son nez. Son crâne était rasé. Un drap de lit lui servait de toge. À portée de la main, il avait un bol plein de cendre : de temps en temps, il en prenait une poignée et semait, d'un geste biblique, un peu de cendre sur sa tête.

— Le portrait tout craché de son père, dit Flaps, avec une certaine émotion.

Il se découvrit. Grinberg ne dit rien, Biddle poussa un sifflement admiratif. Costello prit une photo.

— La Presse, patron, annonça oncle Nat.

Tulipe se tourna vers les visiteurs.

— Regardez-moi bien, annonça-t-il. Je suis une toile de maître. Je suis le portrait de l'Occident vers le milieu du XXe siècle, dans toute sa grandeur. Je suis celui pour qui en vain Homère a chanté, Michel-Ange sculpté,

46

Newton calculé et Marx pensé. Oui, je suis celui pour qui Homère, Michel-Ange, Newton et Marx ont vécu pour rien. Me voilà révélé devant vous tel que j'échappe une fois de plus à vingt siècles de chrétienté, à Bach, à Jésus et Raphaël, ainsi qu'à toutes les autres tentatives désespérées d'étouffer l'affaire et de sauver la face. Regardez-moi bien : je suis plus maigre, avec moins de poil sur la poitrine et la gueule qu'il y a vingt mille ans, mais, à part ça, il n'y a rien de changé à ma misère. Peut-être la communauté charitable des Noirs de Harlem voudra-t-elle faire quelque chose pour le pauvre Blanc éternellement bafoué dans ses besoins les plus humbles, piétiné dans ses rêves les plus paisibles, pillé dans ses droits les plus élémentaires, méprisé dans son sang, exploité dans sa sueur et tellement seul dans la haine universelle que tout chien qui remue la queue à sa vue est un frère pour lui ? Avez-vous des questions à me poser ?

— Que pensez-vous du problème blanc aux États-Unis ? demanda Costello.

— Je pense qu'il prend des proportions inquiétantes.

— Le croyez-vous susceptible de solution ?

— Oui. Je crois fermement que si on lui donne le temps, c'est un problème qui se supprimera lui-même dans le monde.

— Et que pensez-vous du problème noir ?

— Vous pouvez dire à vos lecteurs qu'en tant qu'Européen j'admire énormément la délicatesse avec laquelle la question noire est traitée aux États-Unis sans jamais aller jusqu'aux excès de Dachau, Belsen, Buchenwald ou Staline.

— Ce n'est pas une façon de parler à nos lecteurs, protesta Biddle. Nous sommes un journal respectable. Nous avons même plusieurs blancs parmi nos abonnés.

— Dites-leur que je suis l'ambassadeur extraordinaire de l'Europe auprès du Nouveau Monde, proposa Tulipe, chaleureusement. Dites-leur que je suis l'homme moderne, l'homme nouveau, issu de la guerre, libre, puissant, victorieux jusqu'à la moelle des os, bien nourri, indépendant, digne, plein de confiance dans l'avenir et heureux de vivre. Dites-leur que je suis la colombe, le rameau d'olivier — je vole vers l'Amérique comme la colombe vola vers l'arche, après le déluge, le cœur bercé et l'esprit rassuré par la bonne odeur de ménagerie et les hurlements fraternels qui montent vers moi au-dessus des flots...

— Tout à l'heure, dit Biddle, sombrement, tout à l'heure il était une toile de maître. Le voilà qui devient une colombe, à présent, le voilà qui se met à voler au-dessus des flots...

— Du reste, annonça Tulipe, j'ai moi-même du sang américain dans les veines. Vous pouvez annoncer à vos lecteurs que je descends en ligne directe de ce capitaine intrépide de la marine marchande américaine qui, à bord du bâtiment *Oklahoma*, découvrit l'Europe, en 1499.

— De qui se fout-on ici? demanda Biddle, avec indignation.

— On se fout du blé lourd comme un sein de nourrice, du thym, du houx et de la myrrhe et de la douce lumière du jour, on se fout des océans et des îles mystérieuses et des poissons volants et de son village natal et des neiges de l'Himalaya et du nizam de Hyderabad et des fleurs étranges qui poussent, dit-on, sur le Kilimandjaro. On se fout des grands fonds marins où des caravelles pleines de trésors inouïs gisent assoupies pour toujours dans le sable doux comme un corps de première communiante où se cachent les poissons monstrueux et la bouteille engloutie où le secret de l'absolu est enfermé. On se fout des vieux papyrus et de tous les violons qui ont jamais pleuré sur terre et de tous les bateaux ivres de l'espoir humain et des mains tendues et de toutes les croisades et de l'enfant et de la vieille qui jette une poudre noire dans une jarre de sang bouillant en murmurant: «Abracadabra!» pendant que miaule le chat, piaule le rat et court l'araignée, et de Pasteur et de toutes les pénicillines; on se fout des cheveux dorés et du

49

sein pointu et de celui qui marcha pieds nus
sur des charbons ardents et de celui qui alla
chercher l'or aux Amériques et de celui qui
le premier dit : «Je t'aime!» et de celui qui le
premier bâtit la cathédrale et de celui qui le
premier cria : «Vive la liberté!» avant de mourir et de celui qui coula avec son navire et de
celle qui mourut sur un bûcher; on se fout
de l'amour maternel et des encyclopédies et
des villes rasées et de la rosée du matin...

— En voilà une façon de rigoler, s'effraya
Biddle.

— Ne vous frappez pas, patron, intervint
oncle Nat.

— Avez-vous une petite amie? demanda
Biddle, avec tact, pour changer de sujet.

— Elle a été tuée dans le Pacifique.

— Qu'est-ce qu'elle faisait dans le Pacifique?

— Je me le demande. Peut-être pourriez-
vous me le dire?

— Peut-être était-elle dans les W.A.A.C.?
suggéra Biddle, avec espoir.

— Non, elle était dans les fusiliers marins.

— Qu'est-ce qu'elle faisait, avec les fusiliers
marins? hurla Biddle.

— Que voulez-vous qu'une jeune fille fasse
avec des fusiliers marins? dit Tulipe avec beaucoup de dignité.

Il se jeta un peu de cendre sur la tête.

50

— Quelle est la signification exacte de votre geste? demanda Grinberg.

— Mes actes ne sont pas des gestes. Je ne suis pas un intellectuel.

— Qu'est-ce que vous êtes, alors?

— Je n'en suis pas très sûr moi-même. Et vous?

— La seule chose dont je sois sûr, moi, dit Grinberg, c'est mon numéro de téléphone. Et encore, il y a des moments où je l'oublie. Que pensez-vous de l'avenir de la civilisation?

— Les civilisations n'ont pas d'avenir. Elles n'ont pas de présent non plus. Tout ce qu'elles ont, c'est un passé. La civilisation, c'est quelque chose que l'humanité dépose sur ses rives, à force de couler. C'est quelque chose que les hommes bâtissent derrière eux à force de mourir.

— Je ne comprends pas, dit Biddle.

— Il n'y a pas à comprendre, dit le Mahatma. Il n'y a qu'à continuer à couler.

— La civilisation, rappela Biddle, qui avait beaucoup de suite dans les idées — comme tous ceux chez qui les idées sont rares —, on en était à la civilisation.

— C'est une trace, dit Tulipe, une faible rosée qui tremble sur les feuilles de l'aube... Je suis la trace. Je suis la rosée.

— Tout à l'heure, dit Biddle, sombrement, tout à l'heure, il était une toile de maître. Puis une colombe et un rameau d'olivier. Puis la trace de quelque chose. Le voilà, à présent, une goutte de rosée, le voilà qui se met à trembler sur les feuilles de l'aube...

— Quel est votre but? demanda Flaps.

— Mon but est simple, dit Tulipe, en prenant une nouvelle poignée de cendre. Je veux attirer l'attention des Noirs de Harlem sur ma patrie européenne. Je voudrais que chaque frère nègre digne de ce nom s'unît à moi dans mon humble sacrifice, dans mon humble protestation. Nous manquons surtout de produits alimentaires, de vêtements chauds et d'argent liquide pour nos besoins immédiats, mais c'est de cœur que nous manquons surtout. Tous les dons sont reçus avec reconnaissance. Un timbre-poste doit être joint pour la réponse. Mon but est la liberté pour l'Europe, l'indépendance sans conditions pour *ma* patrie européenne...

Il se jeta un peu de cendre sur la tête.

— Réalisez donc votre unité d'abord, dit Biddle, à la surprise générale, l'indépendance viendra ensuite. Pour commencer, pourquoi ne divisez-vous pas l'Europe en deux grands États amis, le Pakistan à l'est, et, à l'ouest, un anti-Pakistan bien résolu?

— Nous demandons l'indépendance immédiate et sans conditions, affirma Tulipe, avec force.

— Il n'y a pas un Noir à Harlem, dit Costello, qui vous croie capable de vous gouverner vous-mêmes. Vous qui adorez encore la Vache Sacrée sous sa forme la plus ignoble, celle d'État Souverain, et qui léchez sa bouse divine sous forme de tous les étalons-or et de toutes les valeurs de père de famille, qui avez réduit votre fameux Dieu de Bonté et de Justice à l'état d'un fakir pétrifié assis sur ses clous, d'un avaleur de sabres, d'un magicien de foire, croyez-vous qu'il y ait un nègre à Harlem prêt à vous tendre la main ?

— Ne vous frappez pas, patron, intervint rapidement oncle Nat.

— Je ne me frappe pas. C'est lui qui me frappe. Il a raison, donnez-lui un bâton, qu'il cogne plus fort.

— Il n'y a pas assez de bâtons sur terre, dit Costello.

— La civilisation, s'obstina Biddle, la civilisation, c'est bien facile : il suffit d'avoir du cœur. Avez-vous du cœur ?

— J'avais un mégot.

— Ce n'est pas un mégot, qu'il a, remarqua oncle Nat, c'est un rossignol.

— Ne faites pas attention à lui, dit Tulipe, il voit des rossignols partout.

— Savez-vous pleurer ? demanda Biddle.

— Mes larmes sont toutes mortes.

— Comment ça, mortes ? Mortes de quoi ?

— Les larmes sont des gosses de riches. Elles ont la santé bien délicate. Il leur faut un toit au-dessus de la tête, une bonne soupe le soir et les pantoufles et la bouillotte dans le lit. Elles deviennent alors belles et dodues et il suffit d'un rien — une dent creuse, un chagrin d'amour — pour les faire sortir de leur coquille. Mais donnez-leur deux guerres de père en fils, rasez leur maison, collez-les dans un camp de concentration et les voilà qui se font toutes petites et rares, et les voilà qui se mettent à mourir comme des mouches.

— Et vos larmes à vous, de quoi sont-elles mortes?

— Il y en a une qui a été tuée en Espagne, dans les brigades internationales. Une autre, en Grèce : une vieille larme idéaliste. Plusieurs millions sont mortes en Pologne : c'étaient toutes des larmes juives. Une a été lynchée à Detroit, parce qu'elle avait du sang nègre. Il y en a qui ont péri à Stalingrad et dans la R.A.F., plusieurs ont été fusillées comme otages au Mont-Valérien... et me voilà maintenant tout seul sans une larme, pareil moins à un homme qu'à un bout de bois mort.

— Voilà que ça le reprend, s'inquiéta Biddle. D'abord il était une toile de maître, une colombe, un rameau, une trace, une goutte de rosée. Puis il est devenu un mégot, je crois, et

54

un rossignol. Le voilà un bout de bois mort, à présent. Que sera-t-il la prochaine fois?

— La prochaine fois, dit oncle Nat, il sera un caillou, un caillou qu'on jette dans le gouffre, pour voir si c'est profond.

VI

Prière pour les vainqueurs

— «Le Blanc Mahatma de Harlem», lut oncle Nat, en brandissant *La Voix des Peuples* avec triomphe. Par la force qui me fit nègre, patron, vous voilà bel et bien lancé.

— En quelle page? s'enquit Tulipe, en rougissant timidement.

— En sixième. Les cinq premières pages sont entièrement vouées à la reconstruction des démolitions.

— Lisez.

— «Le Blanc Mahatma de Harlem», reprit oncle Nat, avec délices. «Depuis huit jours, un jeune intellectuel européen réfugié, Mr. Tulipe, refuse obstinément toute nourriture. L'état actuel de l'humanité, a-t-il déclaré à un de nos collaborateurs, frappe aujourd'hui d'horreur et de dégoût tous les hommes dignes de ce nom. Nous venons de gagner une guerre au nom de la civilisation menacée et déjà, sur les ruines de nos villes, plane l'ombre d'une nouvelle croisade pour défendre la civilisation. Or, une civilisation qui, en deux mille ans de son existence, n'a pas su chasser la violence de son sein ne mérite pas autre chose qu'une mort violente. L'heure est tout à fait tragique. Une action immédiate s'impose. Aucune hésitation n'est permise. C'est ainsi que j'ai commencé une grève de la faim énergique pour protester contre la civilisation, exiger son abolition immédiate et son remplacement par quelque chose d'autre, oui, mais quoi ? Toutes les suggestions sont acceptées, n'hésitez pas à m'écrire. À bas les États Souverains ! Vivent les États-Unis du Monde ! Harry Truman pour Président ! »

— Hein ?

— Harry Truman pour Président. C'est écrit en toutes lettres. Ne vous frappez pas.

— Je ne me frappe pas.

Tulipe se jeta pensivement un peu de cendre sur la tête. L'après-midi, un article enthousiaste paraissait dans le *Bund*, saluant comme il convenait « ce premier signe des temps nouveaux ». « Nous assistons enfin à la renaissance de l'individu, annonçait avec émotion cet organe. Ne soyons pas indifférents à la grandeur. L'exemple de ce noble jeune homme levant haut et ferme l'étendard de combat pour une société vraiment démocratique et un monde meilleur et juste... »

— C'est bien dit, approuva Tulipe, en mangeant un hamburger.

— Ne m'interrompez pas! «... meilleur et juste, a quelque chose de particulièrement significatif pour nous autres, citoyens américains de couleur. Nous avons trop souffert de la peste raciste pour ne pas répondre sans hésitation à son émouvant appel. Il nous serait trop facile de prétendre que le sort de nos frères noirs et les persécutions économiques, morales et sociales dont ils sont toujours l'objet dans le monde suffisent à nous occuper. Mais une telle attitude serait indigne des nègres américains. Nous n'admettons aucun isolationnisme des consciences et nous ouvrons une souscription pour mettre à la disposition du Jeûneur Européen et de son grand mouvement humanitaire : "Prière pour les Vainqueurs", tous les fonds nécessaires. »

— Vous avez trouvé un bien joli nom pour votre œuvre, patron, commenta oncle Nat, avec bienveillance.

— Je n'ai rien trouvé du tout, grommela Tulipe. Ils l'ont trouvé eux-mêmes. Ça leur est venu tout seul aux lèvres, comme un soupir.

Aussitôt, en première page, *La Voix des Peuples* rappela qu'elle fut la première à attirer l'attention du monde civilisé sur le Blanc Mahatma de Harlem et informa ses lecteurs que, pour répondre à l'appel du Jeûneur Européen, la rédaction du journal, toujours là lorsqu'il s'agissait de faire du bien, ouvrait une souscription en faveur de son œuvre : «Prière pour les Vainqueurs», dont le nom seul, concluait-elle, était un gage de justice, de pitié et de solidarité humaines. «La Rédaction : trente dollars.» Suivaient quelques dons individuels : «Flaps : un dollar. Pluto : cinquante cents et pas un de plus.»

— Ça mord, observait oncle Nat, attablé avec Tulipe à un modeste repas de faisan sauvage qu'un admirateur inconnu leur avait envoyé de la campagne. Ça mord!

Ça mordait. Plusieurs jeûneurs s'étaient immédiatement manifestés à Harlem. Tous se réclamaient de Tulipe et le traitaient de «Swami». L'*America first*, le plus sérieux organe nègre, prêchant toujours l'union de tous les Américains, sans distinction de race, devant la vague montante de barbarie européenne, avait d'abord traité par un méprisant entrefilet «l'affaire du jeûneur», et en profitait pour rattraper le temps perdu. Il publiait un long éditorial intitulé : «Une nouvelle forme de sabotage européen.» Tulipe y était traité de socialiste et de membre de la cinquième colonne européenne. «Si les jeûneurs se multiplient en Amérique, écrivait le journal, notre consommation sera ruinée. Notre production sera réduite à néant, car des ouvriers qui ne mangeraient pas seraient incapables de travailler. Nous courons droit à l'abîme.» Et le journal concluait en exigeant l'arrestation immédiate du Mahatma et de ses complices.

— Ils vont me renvoyer crever en Europe! s'effraya Tulipe.

Le lendemain, la nouvelle de la «Croisade de la faim d'un jeune rescapé de Buchenwald» paraissait dans tous les journaux de Harlem, aussitôt reproduite par les principales feuilles de New York, et le jour suivant, *La Voix des Peuples*, complètement déchaînée à l'idée qu'elle avait fait un «scoop», publiait en première page, sous le titre «Le Blanc Mahatma de Harlem», une photo de Tulipe sur sa descente de lit, en train de filer de la laine. «Nous voilà en présence d'une manifestation unique de la conscience moderne, écrivait Flaps, du moment historique où la somme des crimes commis par les collectivités pèse soudain sur l'individu d'un poids intolérable et éveille en lui un sens déchirant de sa propre responsabilité...»

— Leni.

— Patron?

— Bientôt, on aura une auto, une radio, un Frigidaire. On sera heureux.

— Oui, patron.

— On partira d'ici.

— Oui, patron.

— On ira vivre quelque part à Hollywood, loin de la civilisation.

— Oui, patron.

VII

Ce qui est arrivé à Sammy-
la-Semelle

De nombreux Gandhis continuaient à se manifester un peu partout, surtout dans les quartiers pauvres de la ville, mais ils ne constituaient pas pour Tulipe une concurrence sérieuse, n'étant, pour la plupart, que de pauvres imposteurs, sans envergure dans le geste ni hardiesse dans l'imagination ; ils venaient et partaient rapidement, comme les nuits sur la terre, sans laisser de trace, s'évanouissant tristement comme ils avaient vécu : sans bonheur pour eux-mêmes, ni profit pour l'humanité. L'un d'eux, toutefois, semble avoir brillé un moment dans le ciel de Harlem d'une lumière particulière, avant de sombrer à son tour dans le néant. Il s'appelait Babotchkine, Chaim Babotchkine, et se réclamait hautement du Gandhi de Harlem. Mais, tout de suite, on perçut dans sa voix des accents particuliers, lesquels, trahissant une certaine hérésie dans la doctrine ou une confusion profonde dans les idées, ne pouvaient manquer d'aboutir à une véritable négation de la parole du Maître. Conscient du péril, Tulipe fit tout de suite une déclaration à la presse et une autre à la radio, dénonçant violemment Babotchkine comme un profiteur et lui déniant tout droit de parler en son nom. Cette répudiation solennelle avait, du reste, été rendue impérative par le fait inquiétant que le nouveau Gandhi, contrairement à ses prédécesseurs éphémères, obtenait un succès de plus en plus marqué, entraînant dans son camp de nombreux disciples de Tulipe, parmi les plus généreux. Sans rompre ouvertement avec le mouvement «Prière pour les Vainqueurs», Babotchkine annonçait simplement la création d'une branche nouvelle, une branche «sioniste» du mouvement. Son programme était simple, élémentaire même. Il se déclarait en faveur d'une ségrégation complète de la race blanche et de l'ouverture immédiate et sans conditions de la terre d'Afrique — du «sol sacré de la patrie», comme il le disait — à l'immigration de ses fils noirs. Son jeûne, proclamait-il, était une protestation suprême contre toute nouvelle tentative de détruire la race noire par une assimilation progressive; en quelques mots simples, mais, il faut bien l'admettre, assez émouvants, il se déclarait en faveur d'une Afrique «forte, noire, unie» et réclamait hautement la création d'une armée africaine moderne, dont chaque officier aurait à prouver d'abord qu'il n'avait pas une goutte de sang aryen dans les veines.

— Ne vous frappez pas, patron, supplia oncle Nat, après une conférence de presse au cours de laquelle Tulipe avait dénoncé comme il convenait l'attitude de Babotchkine, qu'il qualifia de «déviationniste». Ne vous frappez pas et surtout évitez de vous prendre au tragique. Rappelez-vous ce qui est arrivé à Sammy-la-Semelle.

— Et qu'est-il donc arrivé à Sammy-la-Semelle, oncle Nat?

— Un matin, patron, il s'est réveillé avec une belle auréole autour de la tête. Pas un de ces petits trucs bon marché, dites-vous-le bien, mais une vraie auréole de première classe, qui faisait mal aux yeux. Eh bien, vous pouvez me croire ou non, patron, mais cela ne lui a attiré que des ennuis. Pour commencer, il a perdu tous ses clients : il était cireur de bottes, de son métier, et les gens ont beau être des pécheurs, ça les gênait tout de même un peu d'avoir leurs souliers cirés par un nègre avec une auréole de première classe autour de la tête. Ils allaient ailleurs. Remarquez que les gens étaient devenus tout de suite gentils avec Sammy-la-Semelle, extrêmement polis. Mais on l'évitait. Chaque fois, par exemple, qu'il entrait chez Harry-le-Fou pour boire un verre, ça jetait

64

un froid et tout le monde filait en silence et Harry-le-Fou n'était pas content, bien que, naturellement, il ne fût pas assez fou pour mettre à la porte un nègre avec une auréole autour de la tête. Ça pouvait mener loin, un geste comme ça, vous comprenez.

— Je comprends bien, oncle Nat.

— Et puis, Sammy-la-Semelle avait une amie, avec qui il vivait dans le péché, Mathilde-la-Grande-Valse, qu'elle s'appelait. Eh bien, ça a été un choc terrible pour Mathilde-la-Grande-Valse, elle a quitté tout de suite Sammy-la-Semelle, en laissant un mot derrière elle, disant comme ça de lui pardonner, que tout était fini ; elle prenait le voile. Les femmes sont comme ça, patron.

— Oui, oncle Nat. Les femmes sont comme ça.

— Tous ces malheurs ont fini par rendre Sammy-la-Semelle un peu susceptible, et chaque fois qu'on le regardait un peu fixement, il se fâchait et vous sautait dessus ; mais heureusement que tous les flics sont Irlandais, par ici, ils n'osaient jamais toucher un cheveu de sa tête et lorsqu'ils le rencontraient, ils demandaient sa bénédiction, et Sammy leur donnait sa bénédiction très volontiers, pour un paquet de Chesterfields. De ce train-là, vous pensez bien, il finit par devenir un véritable chenapan, traînant sa belle auréole dans tous les mauvais lieux de Harlem, que c'était un véritable crève-cœur à voir, buvant des verres qu'il ne payait jamais. Ce n'était pas très joli, patron. Ça jetait le discrédit sur toute la corporation.

— Il n'a jamais essayé de se guérir, oncle Nat?

— Si, patron, il a tout essayé. D'abord il est allé voir le plus grand spécialiste du cuir chevelu de New York, mais c'était un Israélite et il a refusé de lever le petit doigt, disant que ça pouvait mener loin, un geste pareil, et qu'il avait déjà eu des histoires pour quelque chose comme ça, il y a deux mille ans. Il a même fini par donner de l'argent à Sammy-la-Semelle pour qu'il s'en aille et ne revienne jamais. Ensuite, quelqu'un lui a dit que c'était peut-être nerveux et il est allé voir un psychiatre, mais ça n'a rien donné du tout, patron, ce n'était pas nerveux. Après ça, il est allé à Hollywood et il a gagné sa vie là-bas, pendant quelque temps, en faisant de la figuration pour Cecil B. de Mille. Pour finir, il est devenu un vrai bandit, a tué un homme ou deux puis a vécu caché à Harlem, traqué par la police, mais personne n'osait le dénoncer à cause de cette histoire dans la Bible, vous vous souvenez. On ne sait jamais, n'est-ce pas?

— Je me souviens. On ne sait jamais.

— Et puis, l'année dernière, d'un seul coup,

l'auréole s'est éteinte et le pauvre Sammy-la-Semelle est mort comme ça, tout de suite.

— Comment, oncle Nat, comme ça, tout de suite ?

— Oui, c'était la nuit, il descendait tranquillement l'escalier à la lumière de son auréole et l'auréole s'est éteinte et il a perdu l'équilibre dans le noir et s'est rompu le cou.

— C'est une bien triste histoire, oncle Nat.

— Ce ne sont pas, patron, les histoires tristes qui manquent. J'espère que celle-ci vous servira de leçon.

VIII

Aux affamés du monde

Tulipe fut payé cinq mille dollars par semaine pour adresser chaque dimanche un message radiodiffusé à ses disciples dans le monde, dont le nombre augmentait tous les jours. Une enquête, menée par un fameux institut de statistiques, prouva qu'en Chine seule ce nombre atteignait cinquante millions, dont plus de cinq millions mouraient malheureusement chaque année dans un excès de fanatisme ; qu'en Europe il prenait des proportions importantes, surtout parmi les enfants en bas âge. En Amérique du Sud, en Grèce, à Calcutta, l'exemple du Jeûneur fut suivi avec un tel enthousiasme que la police dut tirer à plusieurs reprises sur la foule de ses disciples pour les disperser. Des mesures énergiques furent prises immédiatement par tous les États Souverains : l'âge limite des éléments autorisés à se livrer à la prostitution fut réduit à treize ans pour les filles et quatorze pour les garçons, des organismes d'études furent créés sans délai afin de suivre avec intérêt la courbe montante de la mortalité infantile, une désinfection obligatoire fut introduite afin de préserver des épidémies les troupes d'occupation et les touristes venus visiter les ruines en autocars — en un mot, rien ne fut négligé pour donner aux hommes libres un monde à l'image de leur liberté... Pendant plusieurs semaines, tous les dimanches, Tulipe put adresser ainsi à ses disciples un message fraternel. Mais brusquement, les journaux annoncèrent que dans de nombreux pays, on censurait les messages du Jeûneur Européen, que d'autres gouvernements européens se montraient « très soucieux » et protestaient discrètement auprès du Département d'État contre ces appels « à peine déguisés » au pillage, au massacre, au viol et, en un mot, au socialisme. Le dimanche suivant, l'Amérique entière fut aux écoutes.

— Aux affamés du monde, commençait Tulipe, j'envoie de tout cœur mon message fraternel. Comme tous les dimanches, je vais vous lire aujourd'hui un passage du Livre et je vous demande de le méditer longuement avec moi. Page 241, verset quatorze : « Lardez de gros lardons un gros morceau de milieu de culotte un peu grasse, disposez dans la casserole quelques couennes, un demi-pied de veau, oignon, carotte, thym, clou de girofle, poivre et sel, ail. Recouvrez d'un verre d'eau, d'un demi-verre de vin blanc et cuisez à petit feu jusqu'à ce que la viande soit très tendre...»

La tempête éclata dès le lendemain matin. Sous le titre : «Staline montre à nouveau le bout de son oreille pointue», le *Wall Street First* parla sur deux colonnes, en première page, d'une tentative de la Cinquième colonne européenne, «dirigée par un agitateur professionnel à la solde de Moscou», de mettre enfin à exécution son programme, «longtemps retardé par la vigilance des amis de l'ordre», de révolution mondiale. Sous le titre explicite «La Chaise électrique», l'organe de l'association «Amérique d'abord» réclamait des mesures radicales contre les éléments subversifs de Harlem et d'ailleurs, «quelle que fût la couleur de leur peau», et invitait tous les blancs dignes de ce nom à défendre, la matraque à la main, la souveraineté de leur race. Même *Le Progrès*, d'habitude si modéré, n'hésita pas à lancer un cri d'alarme. «Pour tous ceux qui savent lire entre les lignes, écrivait ce vénérable organe, les messages hebdomadaires du Jeûneur volontaire ne sont pas autre chose qu'une adroite propagande socialiste. Nous sommes en présence d'une tentative hardie de saper les bases mêmes de notre société. Nous laissons à nos lecteurs le soin d'imaginer ce qui arriverait dans le monde si tous les hommes sans distinc-

70

tion de classe, de race et de moyens — aussi bien les peuples vainqueurs que les peuples libérés — essayaient d'appliquer les directives du Mahatma. Pas un gouvernement ne resterait debout. Pas une propriété privée à l'abri du pillage. La civilisation occidentale, bâtie au cours des siècles au prix de tant de souffrances et de sang, serait immédiatement réduite au chaos. Sans réclamer les mesures extrêmes préconisées par une presse irresponsable, il est tout de même permis d'exiger qu'une enquête extrêmement sérieuse soit faite dans les affaires de cette étrange association "Prière pour les Vainqueurs" dont on a tant parlé ces derniers temps et dont le nom seul, nous semble-t-il, constitue une atteinte au bon renom et au prestige dans le monde de notre pays. »

Les résultats de cette campagne de presse ne se firent pas attendre. Mille exemplaires du *Livre des Recettes de Tante Rose*, dont Tulipe s'inspirait dans ses causeries hebdomadaires, furent solennellement brûlés à Boston, et l'impression de cet ouvrage subversif fut strictement prohibée dans tous les pays sous-développés; sa lecture en public ou dans des réunions clandestines fut punie de peine capitale.

Mais la bonne parole était plus forte que la force des ténèbres.

Dans les caves, dans les catacombes, au cœur

des forêts, des hommes intrépides se réunissaient nuitamment et lisaient à haute voix les passages du Livre. Dans les villes, dans les campagnes et sous terre, dans les mines, la Parole impérissable faisait son chemin, et les hommes affaiblis, les femmes aux joues creuses, voyaient pour la première fois monter des ténèbres l'aurore d'une nouvelle vie...

— Grinberg, dit Flaps, en quittant le meublé après une conférence de presse au cours de laquelle Tulipe avait déclaré que, ses jours étant comptés et son but atteint, peu lui importaient les clameurs d'un monde hostile. Je dis, Grinberg, ce type-là me rappelle quelqu'un, je ne me souviens pas qui.

— Ta-a-xi ! hurla Grinberg. Ta-a-xi ! Tu me fais mal, Flaps. Fais un effort. Ça saute aux yeux. Réfléchis un peu.

— Je réfléchis.

— Taxi, taxi ! Une belle figure légendaire. La seule belle figure spirituelle de l'histoire. Ça commence par un C. Six lettres.

— Chang-Kaï-chek, dit Flaps. Non, Churchill. Non.

— Ta-a-xi !

— Cicéron, dit Flaps. Cagliostro, Charlie Chaplin, Camus.

— J'ai dit : très grande figure humaine. Une lumière spirituelle. Six lettres. Taxi !

— Capone, dit Flaps. Tu n'as pas fini de hurler?

— J'ai besoin de hurler. J'ai besoin de hurler pour ne pas éclater. Je tâche simplement de hurler quelque chose de raisonnable. Taxi!

— Caligula, dit Flaps. Le monde est plein de gens bien intentionnés qui passent leur vie à hurler après des taxis qui n'arrivent jamais. Coolidge, César, Chamberlain.

— Ça n'empêche pas les gens d'essayer, dit Grinberg. Ça n'empêche pas les gens de hurler, depuis des milliers d'années. Une grande et belle et pure figure humaine. Ça commence par un C. Six lettres. Il n'y en a pas deux!

— Il n'y en a pas une, dit Flaps.

IX

Hi-han! à travers les âges

Tulipe se levait tôt et consacrait une heure
à la prière et la méditation. Il se faisait ensuite
lire les journaux par oncle Nat, afin de mesurer chaque matin exactement la tâche qu'il lui
restait encore à remplir dans le monde. Les
premiers visiteurs étaient reçus de bonne heure,
aussitôt après le petit déjeuner. Généralement,
ils commençaient à s'assembler dès l'aube ; il
y avait même des fidèles, venus de loin, qui
passaient la nuit dans l'escalier. Les journaux
parlèrent pendant longtemps du Noir de Virginie qui fit le pèlerinage pieds nus, accom-
pagné seulement d'une brebis qu'il offrit au
Mahatma au cours d'une cérémonie émouvante. Les actualités de l'époque, miraculeu-
sement conservées au Musée de l'Homme,
nous montrent aujourd'hui encore Tulipe tondant la brebis de sa propre main, dans une
rue de Harlem, au milieu d'une foule enthousiaste. C'est une sensation bien étrange, en

vérité, pour un nègre de notre temps, que de jeter un regard sur cette époque lointaine où nos ancêtres vivaient encore dans un état de pauvreté et de servitude comparable seulement à celui où sont tombés aujourd'hui les quelques survivants de la race blanche. Nous les voyons danser autour du Mahatma, dont le visage exprime une tristesse infinie, alors qu'il accomplit, d'une main sûre, le geste symbolique de la tonte dont la véritable signification semble avoir été perdue pour ses contemporains. Ce ne fut que plus tard, au cours du deuxième siècle après Tulipe, que ses successeurs firent valoir comme il convenait ce geste et en dégagèrent le sens profond : la plus démunie des créatures venant apporter, elle aussi, au Guide son humble contribution. Certains commentateurs y virent également une suprême protestation contre les discriminations de races, et même d'espèces ; d'après eux, le geste proclamait l'égalité absolue, dans la souffrance comme dans le sacrifice, de toutes les créatures ; ils concluaient à une solidarité absolue de tout ce qui souffre et meurt, sans aucune discrimination. De même que l'humble brebis se dépouille de sa laine au profit de ses frères humains, de même, affirmaient-ils, nous autres, hommes de couleur, devons veiller aujourd'hui sur le droit au pain et à la lumière de nos frères blancs. Le seul fait que les mots « nos frères blancs » avaient pu figurer dans les écrits de ces égarés suffit à nous montrer clairement l'extrême audace de leurs vues et le danger certain qu'ils représentaient pour la société de leur temps, à une époque où la supériorité des hommes de couleur venait à peine d'être établie. Il faut dire d'ailleurs que cette interprétation, bien qu'elle fût adoptée par certaines sectes hindoues, fut solennellement flétrie *ex cathedra* par les Mahatmas de l'époque et déclarée hérétique par le synode ; son principal défenseur, un nègre nommé Rappoport, fut brûlé sur un bûcher. Cette réaction quelque peu violente s'explique en partie par les difficultés de l'heure. Le principe moderne du racisme intégral venait alors de triompher partout dans le monde, à l'exception de quelques coins perdus que la civilisation n'avait jamais pu atteindre ; dans l'ivresse de la victoire, les races de couleur terrorisaient continuellement les minorités blanches, se livrant sur elles à des cruautés sans nom. Il est certain que les Mahatmas des troisième et quatrième siècles après Tulipe n'approuvaient pas ces excès ; nous en trouvons la preuve formelle dans ces fameuses « conclusions » découvertes au cours des fouilles récentes dans l'antique Washington. Mais il est non moins certain qu'ils n'osèrent pas s'élever ouvertement contre cet état de choses. Il leur était plus difficile encore d'interpréter le symbole de la tonte du mouton dans le sens de l'égalité et de la fraternité des races, préconisé par l'anarchiste Rappoport. Il n'est pas aisé aujourd'hui de se représenter la violence et le déchaînement des passions élémentaires au cours des premiers siècles de notre ère. Il faut nous rappeler que la haine du Blanc était alors apprise aux enfants dès le berceau ; que les contes et les légendes populaires la transmettaient de père en fils, pendant des générations, et que, même dans les écoles, les manuels d'histoire s'étendaient complaisamment sur l'état de crime permanent vis-à-vis des autres races dans lequel la société blanche avait vécu ouvertement au cours des siècles passés. Il n'était pas facile aux premiers Gandhis noirs de s'élever au-dessus de ce grief millénaire. Sans doute, peut-on leur reprocher de ne l'avoir même pas essayé. Ils se bornèrent à tolérer le rite de la tonte et laissèrent sagement à des temps plus paisibles le soin d'en analyser le sens et d'en mesurer toute la portée. Mais si le sens de cette cérémonie ne fut dégagé que plus tard et si les interprétations savantes vinrent s'ajouter les unes aux autres, donnant chacune lieu à des schismes, des hérésies et des persécutions sans fin, le geste si simple du Mahatma tondant l'humble brebis de sa propre main fut instinctivement adopté par les fidèles comme un rite sacré. Au premier lundi du mois d'avril, un mouton était tondu dans chaque famille aisée et sa laine remise aux pauvres du quartier ; le mouton était ensuite rôti tout entier et mangé au cours d'un repas solennel. Quant au nègre de Virginie qui fit un jour le pèlerinage fameux, son histoire véritable ne nous est pas connue. Tout ce que nous savons de lui, c'est qu'il s'appelait Shapiro et qu'il donna lieu, au premier siècle après Tulipe, à une controverse mémorable à cette époque lointaine où les blancs avaient encore le droit à la parole dont ils abusaient si légèrement. Son point de départ fut la publication d'un document intitulé : «Protocoles des Sages de Harlem», dont le caractère apocryphe ne laisse plus aujourd'hui de doute à personne. Ce document était présenté comme un compte rendu d'une réunion secrète du comité central du mouvement «Prière pour les Vainqueurs», tenue à Harlem, en l'an 1946. Il déclarait d'abord que le but du mouvement était de saper les bases de la société blanche, ainsi que l'organisation secrète des races noires, en vue d'une ultime domination des nègres sur les blancs et d'une extermination subséquente de ces derniers. Il contenait ensuite une prétendue confession de Tulipe, dans laquelle ce dernier avouait enfin qu'il avait du sang noir dans les veines. Comme nous l'avons dit, le caractère apocryphe de ce document a été aujourd'hui abondamment prouvé ; à l'époque même où il fut publié, des protestations s'étaient élevées, jusque parmi les blancs. Il est bon de se rappeler toutefois qu'il avait donné lieu à toute une série de pogroms violents dont plus de trente millions de nègres de toutes races furent les pitoyables victimes. Si nous mentionnons aujourd'hui ces tristes « Protocoles des Sages de Harlem », c'est qu'ils contiennent une étonnante allusion au « pèlerin de Virginie ». Nous la reproduisons ici à titre de simple curiosité. Chemin faisant, ce dernier aurait tenu des réunions étranges dans les villages et les campagnes. Il réunissait quelques Noirs autour de sa brebis et prenait la parole. « Une nouvelle croisade, disait-il en soupirant. Encore une belle et pure figure. Un nouveau et grand mouvement idéaliste. Une nouvelle société, une nouvelle fraternité, un nouvel humanitarisme. Encore vingt siècles de civilisation qui viennent de commencer. Mais il leur manque le principal. » Il montrait la brebis du doigt. « J'ai là ce qu'il leur faut. La fin et le commencement de tous les grands mouvements de l'histoire : une victime. »

— *Mon pauvre ami, mais que voulez-vous prouver?*

— *Je ne cherche pas à prouver. Je veux seulement que demeure la trace de mes pas.*

— *À quoi servira-t-elle, vieillard stupide?*

— *À éviter seulement qu'on ne nous suive. Elle sera bien utile pour tous ceux qui ne viendront pas après nous. Rappelez-vous, mon Maître : l'humanité est une patrouille perdue.*

— *Est-il vraiment trop tard? Ne peut-elle pas rebrousser chemin?*

— *Non. On lui tire dans le dos.*

— *Comme c'est affligeant! Une si vieille personne! Avez-vous connu une nuit plus triste que la nôtre? Mon pauvre ami, mais que nous reste-t-il donc?*

— *La révolte.*

— *La... Quelle horreur! Me dire ça à moi!*

— *Il nous reste la révolte. Car de toutes les nuits humaines, la plus triste est celle qui ne couve pas une révolte, mon Maître.*

X

L'homme est-il allemand ?

Vers une heure de l'après-midi, les visiteurs étaient priés de sortir. Leni, oncle Nat et Tulipe se réunissaient alors autour d'un repas frugal. Leni avait toujours quelques nouvelles toutes fraîches à raconter. La tentative du « rescapé de Buchenwald » de fournir enfin à l'humanité un « alibi valable » éveillait partout un écho profond. À la Bourse, les valeurs spirituelles remontaient à vue d'œil et la critique venait d'accueillir avec une indulgence marquée la publication d'un ouvrage dont l'auteur s'efforçait pourtant de prouver l'existence, dans le passé, d'une certaine forme de civilisation en Europe. Même les cœurs de la jeunesse studieuse se laissèrent toucher et, dans les grands collèges, des heures précieuses furent perdues à réfléchir ; c'est ainsi que la mode fut lancée de porter l'effigie du Mahatma sur les jupes ou les blouses. Après le café, oncle Nat et Tulipe commentaient les incidents de la matinée et faisaient leurs comptes. Pendant ce temps, les disciples et les curieux attendaient dans la rue, où un service d'ordre permanent avait été organisé par la police; les disciples importants, réputés pour leur générosité au profit du mouvement, patientaient dans une salle d'attente spécialement aménagée pour eux au quatrième; des journaux et des revues illustrées étaient mis à leur disposition; les idéalistes particulièrement pressés par le besoin avaient un petit coin où ils pouvaient se masturber. Avant la guerre, ce réduit étroit et sans fenêtre avait servi de débarras aux locataires de l'étage; mais en 1942, le propriétaire de l'immeuble s'était laissé gagner par les appels aux sentiments humanitaires qu'il lisait dans les journaux; c'est ainsi qu'il avait mis ce réduit, pour une somme modique, à la disposition du Comité de Bienvenue et Secours aux Intellectuels européens réfugiés. Oncle Nat désinfecta le réduit et y arrangea une salle d'attente assez sombre, il est vrai, mais qui prédisposait justement au recueillement. Un peu plus tard, le Mahatma se retirait dans un coin, derrière un rideau; il méditait et faisait un examen de conscience approfondi. On n'entendait plus, dans le grenier, que sa respiration calme, régulière. Pendant ce temps, oncle Nat et Leni lui préparaient le courrier. Ce n'était pas une besogne facile. Plusieurs centaines de lettres arrivaient chaque jour et leur nombre s'accrut encore considérablement au cours de la deuxième quinzaine du Jeûne, alors que les journaux commençaient à redouter le pire et annonçaient en première page que le Mahatma était «courageux, lucide, mais extrêmement affaibli». Toutes ces lettres se ressemblaient, du reste, beaucoup, ce qui facilitait la réponse. «Cher Tulipe, écrivait une jeune fille de Saint Louis, j'aime un G.I. Il a gagné le «purple heart» en Europe, en se battant pour la liberté. Il s'appelle Billy Rabinovitch et il veut m'épouser, mais ses parents refusent leur consentement, parce que j'ai du sang nègre dans les veines. Je suis d'une bonne famille, mon frère a été tué dans le Pacifique par les chiens jaunes. Nous avons pourtant fait cette guerre pour en finir avec les discriminations raciales. Pouvez-vous m'aider?» Oncle Nat essayait de soustraire les lettres comme celle-ci à l'attention de l'apôtre, mais Tulipe se fâchait, insistait et, après les avoir lues, se taisait souvent pendant des heures, se jetait de la cendre sur la tête et refusait de recevoir les visiteurs ou de leur adresser la parole. Il donna des signes de fatigue, devint capricieux, irritable, boudeur. Il lut plusieurs volumes de droit constitutionnel, les *Fonctions et Pouvoirs du Président des États-Unis*, de Heine, et *Vingt ans à la Maison Blanche*, du colonel Jackson-

Orr. Il fut très frappé par ces lectures : il imposa aux visiteurs de se déchausser avant d'entrer, de garder les yeux baissés en lui parlant et de sortir à reculons, en faisant des courbettes. Ce fut aussi à cette époque que Hollywood lui proposa le rôle principal d'un film en couleur sur la Création, offre qu'il refusa pour des raisons de prestige, mais qui eut pour effet de le plonger dans des rêveries étranges. Il exigea de la pâte à modeler et passa tout son temps à sculpter des montagnes, des arbres, et une boule qu'il n'arrivait jamais à rendre tout à fait ronde. Il s'essaya même à des créatures vivantes : un bonhomme, une bonne femme, un serpent, toutes sortes d'animaux. Mais il ne fut pas satisfait de son œuvre, ses sculptures laissaient beaucoup à désirer : elles finissaient toujours par ressembler aux originaux, ce qui plongea Tulipe dans le désespoir complet, une sorte de marasme intellectuel et moral. Il en sortit pendant quelques jours et se mit soudain à parler de créer un grand quotidien d'opinion dans tous les pays du monde, entièrement voué au combat contre le mal et au redressement des torts ; il parla aussi de donner au mouvement « Prière pour les Vainqueurs » un caractère plus nettement politique, plus agressif même ; il discuta longuement des créations des Milices Humanitaires à travers le monde, d'armer toute une jeunesse enthousiaste, sincère et impatiente de servir et de faire enfin quelque chose de vraiment nouveau ; il commença à rédiger un ouvrage idéologique qu'il intitula *Mon Combat* ; il y prouvait que tous les malheurs de notre société venaient de la race blanche et que seule la destruction complète et radicale de celle-ci pouvait sauver la civilisation. Mais cet état d'âme ne dura pas plus que les autres. Il venait justement d'écrire le thème principal de son ouvrage : « Ce qu'il y a de criminel dans l'Allemand, c'est le Blanc », lorsque oncle Nat, qui lisait par-dessus son épaule, rectifia : « Ce qu'il y a de criminel dans l'Allemand, c'est l'Homme », ce qui eut un effet effrayant sur Tulipe, qui pâlit, brûla incontinent son manuscrit et passa la nuit à pleurer dans son lit et à s'arracher les cheveux. Le lendemain, il changea complètement d'attitude, devint très humble et trouva une joie extrême à s'abaisser. Désormais, tous les dimanches, il faisait monter sept pauvres Blancs dans le grenier, « un pour chaque jour de péché », disait-il, les déchaussait et leur lavait les pieds de sa main, pendant que Leni et oncle Nat chantaient des cantiques. Il essaya d'imposer ce rite à oncle Nat, mais se heurta à un refus formel ; le vieux nègre déclara brièvement que « l'affaire marchait bien et ne nécessitait pas de tels sacrifices ». Puis un dimanche, sans aucune provocation de leur part, il chassa les sept pauvres Blancs, en les insultant et en leur interdisant de remettre les pieds dans le grenier. Il se procura les *Voyages dans l'Arctique*, de Fridtjorf Nansen, et les lut d'une traite, après avoir suspendu ses réceptions pendant vingt-quatre heures.

Il s'acheta ensuite *L'Art de bâtir un igloo* et *Comment accommoder la viande de phoque*, ainsi que les *Us et coutumes des Esquimaux*, cessa brusquement de se laver et passa à Woolworth une commande de plusieurs milliers de dollars pour des raquettes, des traîneaux, un attelage de douze chiens spécialement entraînés aux découvertes du Pôle Nord, et prit des douches glacées tous les matins.

— Leni.

— Oui, patron.

— Nous irons vivre loin de la société, quelque part dans les solitudes polaires.

— Oui, patron.

— Nous aurons un igloo, des chiens fidèles, des enfants qui n'iront pas à l'école.

— Oui, patron.

— Le matin, j'irai à la chasse au phoque et je reviendrai le soir, épuisé mais heureux.

— Oui, patron. Le sport, ça fait du bien.

— Toi, pendant ce temps, tu donneras la tétée à nos enfants, la becquetée aux pingouins familiers, tu te livreras à ces mille besognes, petites mais utiles, du foyer, et tu m'attendras.

— C'est ça, patron, c'est ça.

— Une fois par mois, nous nous rendrons, dans nos traîneaux rapides, au village esquimau voisin, à cinq cents milles de notre igloo. Au début, ils se méfieront de nous, mais nous saurons leur inspirer confiance, peu à peu.

— Peu à peu, patron, peu à peu.

— Alors, ils nous initieront à leurs mœurs simples, mais saines. Ils ignorent les discriminations raciales, ils nous assimileront et nous vivrons et mourrons heureux.

— Nous vivrons et mourrons heureux, c'est ça, patron. Ne vous frappez pas.

— La neige purifie tout, le grand froid. Nous serons enfin purifiés. L'air glacé nous rendra notre pureté première...

— Les hommes, patron, ça ne se purifie pas avec de la glace, mais avec du feu.

Mais presque aussitôt le Mahatma se désintéressa du Grand Nord, acheta un atlas et traça un cercle au crayon rouge autour d'un îlot minuscule dans l'archipel des Bananes. Il passa ses loisirs à lire *Robinson Crusoé* et se mit à regarder oncle Nat d'un tout autre œil.

— Ne comptez pas sur moi, patron, l'avertit tout de suite oncle Nat, avec indignation. Trouvez-vous un autre Vendredi.

Tulipe acheta ensuite une énorme cantine et frotta pendant quinze jours deux bouts de bois l'un contre l'autre, en attendant une étincelle qui ne venait pas. Il lut également *Seul devant la Nature*, du capitaine Mac Intyre, fit d'énormes provisions de conserves et commanda un matériel de camping très compliqué, qu'il trouva dans le catalogue Woolworth sous la rubrique «L'Art de se suffire partout». Il compléta son équipement par une boussole, des cannes à pêche, du filin, une petite pharmacie coloniale et un drapeau — mais après avoir hésité pendant quinze jours entre un drapeau américain et un drapeau russe, il fit soudain une nouvelle crise de dépression, jeta tout son équipement aux ordures et demeura huit jours couché sur le ventre, la face dans l'oreiller.

— *Laissez-moi tranquille, mon ami. Allons, lâchez mon bras. Qu'est-ce que c'est que ces façons ?*

— *Pukka Sahib, ayez pitié d'un pauvre Blanc temporairement libéré! Père fusillé à l'aube, mère et sœur violées quelque part sans jugement, moi-même trois jours à cent dans un wagon à bestiaux, de Compiègne à Belsen, tout nu, en plein hiver...*

— *Ce sont les Allemands, mon ami. Nous n'y sommes pour rien. Nous, nous avons les mains propres. Nous, nous ne sommes pas responsables. Nous, nous sommes honnêtes, humains, tolérants... C'est pas nous, c'est eux.*

— *Pukka Sahib! J'aime la vue de votre visage dodu, aux joues roses.*

— *Passez votre chemin, mon ami. Et laissez mon visage tranquille, là. Bas les pattes ! vous dis-je. En voilà des procédés !*

— *Oserai-je vous proposer alors ces quelques documents illustrés sur les bordels en France et en Italie, couleur chair, très intimes, très suggestifs, très... hé, hé, hé ! Ce n'est pas vendu, c'est donné.*

— *Cessez donc immédiatement de me baver dans le cou ! Rendez-moi immédiatement mon chapeau et mes gants ! Lâchez mon bouton ! Ne vous accrochez donc pas comme ça à ma redingote ! Ah ! çà, mais lâchez-moi, imbécile ! Vous allez m'étrangler.*

— *Pukka Sahib...*

— *Quoi encore ?*

— *Il me vient un soupçon affreux.*

— *Eh bien ?*

— *L'homme est-il allemand ?*

XI

Ce ne sont pas les verres d'eau
qui manquent

— Il peut soulever deux cents livres d'une
seule main, dit Tim Zyskind, le fils du chapelier. Il peut cracher à cinquante yards, sans
effort, et faire mouche.

— Il peut? s'étonna Doodle, le seul nègre
de la bande. Il peut vraiment?

Les autres garçons s'efforçaient de prendre
un air indifférent : le jeune John Washington
Chazer, pour parler comme son extrait de naissance, mais que tout le monde, y compris sa
mère, appelait «Bazooka Kid»; le général
«Buzz» Sverdlovitch, fils du tailleur Sverdlovitch, qui attendait son visa pour la Palestine,
et Stanley Dubinski, «Sticky» pour les amis,
lequel n'avait que sept ans et en était encore
à chercher son chemin dans la vie et sa place
dans la société.

— Il peut, dit Tim. Il peut aussi avaler des
clous et cracher des flammes. Il peut sauter du
cinquième étage dans la rue sans se faire mal.

— Il ne peut pas, explosa enfin Bazooka Kid.

— Tout le monde peut le voir, dit Tim. Il suffit d'être là au bon moment.

— Et quand faut-il être là? demanda «Buzz» avec indifférence.

— Et qu'est-ce que ça me rapporterait si je le disais? murmura Tim.

Il y eut un silence grave. La situation prenait soudain une tournure décisive où toute initiative prise à la légère pouvait être cruellement regrettée. Tim, du reste, n'insista pas. Il attrapa une mouche, l'écouta bourdonner dans son poing et murmura distraitement :

— Il peut marcher sur des charbons ardents. Écoutez, écoutez; il est assis toute la journée sur des clous pointus et, lorsqu'il en a assez, il se lève et marche sur des charbons ardents pour se changer les idées.

— Quand va-t-il sauter du cinquième étage dans la rue? demanda le général «Buzz» Sverdlovitch, lequel avait énormément de suite dans les idées, comme tous les grands chefs.

— Peut-être que je te le dirai et peut-être que je ne te le dirai pas.

— Peut-être que tu ne le sais pas? grinça Bazooka Kid. Peut-être qu'il a oublié de te le dire?

— Il peut manger du verre pilé à longueur de journée, murmura Tim, rêveusement. Il peut avaler des couteaux de cuisine grands comme ça. Il fait tout ce que le grand Martini a fait au cirque, la semaine dernière, mais en mieux.

Bazooka Kid ne put se retenir davantage :

— Je paierai pour ça.

— Que paieras-tu ? s'enquit Tim, sans intérêt.

— Je te donnerai un canif, dit Bazooka Kid. Je te donnerai le canif que Sticky a reçu hier pour son anniversaire.

Sticky fut rapide comme un chat, mais Bazooka Kid tendit le bras et le happa au passage, paresseusement.

— Cette nuit, à trois heures, devant la maison, dit Tim en mettant le canif dans sa poche.

Vers deux heures du matin, M. Sverdlovitch, qui attendait depuis trois ans son visa pour la Palestine, se réveilla, soupira et quitta le lit conjugal. Il trouva la porte sans donner la lumière, connaissant son chemin dans l'obscurité aussi bien qu'un âne qui marche en rond autour du même puits. Il sortit dans le couloir et, soudain, buta contre quelque chose de vivant.

— Aïe ! dit M. Sverdlovitch, aïe ! je ne crierai pas. Je ne ferai aucun bruit. Non, je n'appellerai pas au secours.

— C'est seulement moi, dit « Buzz ». N'aie pas peur.

Le vieux fut profondément humilié.

— Un fils qui se lève exprès pour faire peur à son père, au milieu de la nuit. Un fils qui joue avec le cœur malade de son père. Un fils qui se moque de son père, lequel a déjà eu sa sœur et la famille de sa sœur massacrées à Gallatz, en 1940. Un fils qui n'hésite pas à tuer son pauvre père juste au moment où celui-ci va peut-être obtenir un visa pour la Palestine, pour lui et pour toute sa famille, est-ce que c'est un fils?

— Je ne l'ai pas fait exprès.

— Non, ce n'est pas un fils. Qu'est-ce que c'est alors? C'est un gangster. Va te coucher!

Le général «Buzz» Sverdlovitch, l'homme de Bataan, l'homme de Corregidor, ferma les yeux, ouvrit la bouche et se mit à hurler.

— Aïe! dit le vieux, avec consternation, ai-je été un mauvais père pour mon fils? Ne lui ai-je pas donné une bonne éducation, n'ai-je pas l'intention de l'aider à devenir quelqu'un à Tel-Aviv, quelqu'un comme Ben Gourion, le Dr Weizmann ou Sirotchkin?

— Je ne veux pas aller à Tel-Aviv! hurla «Buzz». Je... suis... bien... ici!

— Ici? s'indigna le vieux. Tfou, tfou, tfou, cracha-t-il. Est-ce que mon fils a déjà oublié sa pauvre tante et son pauvre oncle, massacrés à Gallatz en 1940?

— Je ne veux pas aller à Tel-Aviv, je veux aller à West Point! hurlait «Buzz».

Plus tard, en parlant avec sa femme, M. Sverdlovitch commenta cette déclaration de la façon suivante : «Notre fils a de mauvaises fréquentations. Il joue toute la journée avec des Noirs, qui lui donnent des idées dangereuses. Le plus tôt nous aurons ce visa, le mieux ça vaudra!»

Mais pour l'instant, il dit :

— Cha, cha, tu vas réveiller ta mère. Qu'est-ce que tu allais faire dehors, au milieu de la nuit?

Le général, encore tout humilié et très effrayé à l'idée d'aller vivre dans un pays étranger, bouda et ne dit rien.

— Serait-ce que je ne mérite plus la confiance de mon fils? dit le vieux, avec émotion. N'ai-je pas l'intention d'ajouter cinquante cents par semaine à son argent de poche?

Le général se moucha dans sa manche, soupira et dit, en montrant le plafond :

— Tulipe sera là, cette nuit. Devant la maison. Tulipe va descendre dans la rue. Il va faire des miracles. Tout le monde pourra le voir.

— Tfou, tfou, tfou, cracha rapidement le vieux. Voilà ce qu'on gagne à fréquenter des nègres! Voilà ce qu'on apprend avec les nègres! Voilà pour quoi j'ai vécu : pour entendre mon fils unique renier la foi de ses pères! Tfou. Voilà pour quoi j'ai été trois fois épargné : à

Kitchiniew, à Kamienietz-Podolsk et à Gallatz. Tfou. À quelle heure va-t-il descendre dans la rue?

— À trois heures.

— Va, va te coucher, ordonna rapidement le vieux, en regardant la pendule : il était trois heures moins dix. Mais peut-être que tu as la fièvre? Peut-être que tu as mal au ventre? Mon Dieu, s'affola-t-il, mon fils a l'appendicite. Il faut aller réveiller le docteur Kaploun.

— Je n'ai pas l'appendicite. Il ne faut pas aller réveiller le docteur Kaploun.

Ayant dit, le général prisonnier se retira dans sa chambre. Le vieux hésita un moment, puis courut sur la pointe des pieds dans la chambre à coucher et, sans faire le moindre bruit, s'habilla rapidement. Il se glissa dehors, décrocha son pardessus au passage, se faufila dans l'escalier et se mit à descendre les marches deux à deux. Au troisième, il rencontra Zyskind, le chapelier, qui descendait l'escalier à petits pas, vêtu seulement d'un pyjama.

— Mon fils, expliqua M. Sverdlovitch, sans s'arrêter, mon fils est en train d'attraper une pneumonie double dans la rue.

— Le mien également, dit Zyskind.

Au deuxième, ils rattrapèrent la grosse Mrs. Baumgartner qui descendait l'escalier soutenue par son mari.

— Nos enfants sont tous en train d'attraper

une pneumonie double dans la rue. Voilà à quoi ces nègres sont arrivés avec leurs rumeurs ridicules.

— Ils le font exprès, dit M. Sverdlovitch. Je n'ai pas le moindre doute là-dessus. Tous anti-sémites!

— À qui le dites-vous! gronda M. Zyskind.

— Je les connais bien, dit la grosse Mrs. Baumgartner, un peu essoufflée. Je les connais bien, je travaille à la cantine pour nègres de la Croix-Rouge.

Dans la rue, plusieurs parents frissonnaient déjà depuis une demi-heure, fort sommairement vêtus, échangeant des propos amers sur la difficulté d'élever des enfants dans ce quartier «avec tous ces nègres superstitieux qui leur mettent des idées ridicules dans la tête». De temps en temps, ils levaient imperceptiblement les yeux et louchaient vers la fenêtre de Tulipe : une faible lumière brillait derrière les rideaux. «Je ne lui demande pas grand-chose, pensait M. Sverdlovitch, confusément. Je lui demande seulement un visa pour la Palestine.»

Vers trois heures vingt, complètement déçus, furieux et enrhumés, les parents commencèrent à se séparer.

— J'ai attrapé une pneumonie double, je le sais! gémissait la grosse Mrs. Baumgartner.

Le malheur voulut que Doodle, le petit Noir, choisît ce moment précis pour paraître dans la rue. Il ne s'était pas réveillé à temps et, à présent, il arrivait en courant, espérant de voir encore quelque chose du spectacle promis par Tim. Saisi d'horreur, il fut immédiatement assailli par un tas de gens, à demi vêtus et irrités, qui le menacèrent de «pneumonie double», mots qu'il ne comprenait pas, mais qui ne présageaient décidément rien de bon. Il se mit à hurler. Ses hurlements furent entendus par un nègre qui passait par là, un certain Mike-le-Lourd, un ancien champion de boxe retiré du ring. C'était un noir de belle taille, tenu en haute estime dans le quartier à cause de ses poings et aussi parce qu'il était un des membres influents de l'association «L'Amérique aux Américains», très populaire à Harlem.

— Attends un peu, fils, gronda Mike, en bondissant vers Doodle, lequel hurla encore plus fort. «Mike pa'lait d'habitude d'une voix g'ave et douce, avec ce bel accent chantant qu'il tenait de sa pauv'e mè'e qui vivait encore un peu en Vi'ginie au bo'd du lac Baïkal, élevant une vache. C'était toujours la même vache depuis des années : elle ne vêlait plus, ne donnait plus de lait, c'était une t'ès vieille vache v'aiment. La pauv'e femme l'avait achetée jadis avec l'a'gent que Mike lui avait envoyé pour s'acheter de fausses dents et maintenant, elle n'a pas de dents et la vieille vache ne donne

plus de lait et la vieille femme attend t'istement le 'etou' de son fils au bo'd du lac Baïkal, en empêchant la vache de mou'i' pou' la
lui mont'er quand il 'eviend'a, lui expliquer
pou'quoi elle n'avait pas acheté de fausses
dents avec l'a'gent qu'il lui avait envoyé en
bon fils qu'il était, et souvent la vieille femme,
assise au bo'd du lac Baïkal, 'ega'dait la vieille
vache en t'ain de b'outer et sc'utait t'istement
l'ho'izon pa'-dessus les champs de coton pou'
voi' si Mike ne 'evenait pas, afin qu'elles
puissent mou'i' t'anquillement sans 'emo'ds et
sans 'eg'et, au bo'd du lac Baïkal : la vache
qui n'avait plus de dents et la vieille femme
qui n'avait plus de lait ! » Telle était toute l'histoire de Mike, ou, du moins, voilà ce qu'elle
devenait, racontée par oncle Nat, avec son
meilleur accent du Sud.

— Attends un peu, fils, hurla donc Mike, je
vais apprendre à ces sales Juifs à attaquer un
enfant américain !

Et il envoya aussitôt un très beau direct à la
mâchoire de M. Sverdlovitch, qui attendait un
visa pour la Palestine. Il fallut vingt minutes
environ pour que la nouvelle colportée par
Mike : « les Juifs attaquent les enfants nègres »,
se répandît dans Harlem ; il fallut le même
temps exactement pour que la nouvelle répan-
due par la grosse Mrs. Baumgartner : « les

nègres violent les femmes blanches » fît le tour du quartier ; une demi-heure environ pour que la bijouterie du vieux M. Salomon fût pillée pour la troisième fois cette année ; une demi-heure, également, pour que les cinquante premières victimes des « émeutes de Harlem » parvinssent aux hôpitaux et à la première page des journaux, sous le titre triomphant : « Nouvelle flambée de violence à Harlem. »

— Buvez ça, patron, dit oncle Nat, en tendant un verre d'eau au Mahatma. Ça vous fera du bien.

Tulipe laissa tomber le journal.

— Ce n'est pas un verre d'eau qu'il nous faut. C'est un déluge.

— Ça ne sert à rien, les déluges non plus, patron : on l'a bien vu. Il y a toujours un Noé quelconque qui fabrique une arche et puis ça y est, tout est à recommencer. Le Seigneur ne peut avoir l'œil à tout. Il y a trop de nègres dans son troupeau. Il fait un déluge, mais il y a toujours un Noé quelconque qui échappe à son regard.

Oncle Nat soupira :

— Ce n'est pas le déluge qu'il nous faut, patron. C'est la révolte. La révolte, oui, c'est tout ce qui nous reste. Mais en cette saison humaine, nous sommes trop épuisés, trop hébétés par la défaite et par la victoire. Nous ne sommes pas mûrs pour la révolte. Nous sommes juste bons pour la résignation. Tenez, patron, pour vous donner une idée... Quelqu'un vient de gagner une guerre. C'est plein de veuves, partout, de blessés, d'orphelins. Eh bien, supposez qu'un vainqueur nouveau s'abatte sur ce monde épuisé. Qu'il viole les veuves, qu'il achève les blessés, qu'il tue les orphelins. Savez-vous ce qui se passera?

— Que se passera-t-il, oncle Nat?

— Les blessés qu'il achèvera pousseront des hurrahs. Les veuves se feront violer avec dévouement. Les petits orphelins, avant de se faire tuer, lui offriront des fleurs.

— Je boirais bien encore un verre d'eau, oncle Nat.

— Voilà, patron, voilà. Ce ne sont pas les verres d'eau qui manquent.

— *Et qu'est-ce qui manque, alors?*
— *La pitié.*

XII

Il dit l'avenir

Ce fut à peu près à cette époque que, cédant aux supplications de ses disciples, Tulipe fit sa fameuse prophétie sur la fin du monde, où l'on trouve cette étonnante description de la dernière guerre que se firent les hommes et de la «terre soulagée, ne tournant enfin pour personne en particulier». Oncle Nat s'était procuré une boule de cristal et Tulipe utilisait ses rares loisirs à regarder dans la boule avec beaucoup de bonne volonté. Oncle Nat l'encourageait de son mieux.

— Toujours rien, patron?

— Toujours rien.

Oncle Nat soupirait et regardait par-dessus l'épaule de Tulipe, avec des yeux ronds.

— Ne vous découragez pas, patron. Regardez.

— Je regarde.

— D'autres l'ont fait avant vous. Regardez bien.

— Je regarde bien.

Un soir, alors que les yeux commençaient déjà à lui sortir de la tête, Tulipe s'écria soudain :

— Ça y est, oncle Nat, je vois !

Le vieux Juif, qui était en train de se raser, arriva, le rasoir à la main.

— Vite, vite, patron ! Que voyez-vous ?

— Je vois celui qui mourra sur la croix et celui qui inventera l'imprimerie et celui qui, parti d'Espagne, découvrira un monde nouveau.

— Hé ! patron, vous vous trompez de côté.

— Je prends seulement un peu de recul.

— Regardez en avant.

— Je regarde.

— Et que voyez-vous ?

— Rien.

— Allons, allons, patron. Faites un effort tout spécial. Tenez, je vais vous aider. Vous voyez les peuples unis et la lune à la portée de toutes les bourses, le cancer aboli et la bonté partout et les rossignols sur toutes les branches et des vacances à la mer et les nègres reçus dans les meilleures familles et plus de mains tendues, sur terre, que d'épis de blé...

— Je ne vois rien. Un grand rien.

— Cherchez bien, patron, je vous en prie. C'est tout à fait capital.

— Je cherche.

— Sur les branches, patron, sous les feuilles.

— Il n'y a pas de branches, oncle Nat, il n'y a pas de feuilles. Toutes les forêts ont brûlé.

— Quelque part sur une île déserte, alors, au milieu de l'Océan?

— Les océans, oncle Nat, ont tous débordé, merci bien. Il y en a partout.

— Ce n'est rien, patron, ce n'est rien. Il faudrait bien autre chose qu'un océan qui déborde pour empêcher mon rossignol de chanter. Écoutez bien.

— J'écoute.

— Tendez l'oreille.

— Je fais de mon mieux.

— Il est sûrement quelque part, patron, à chanter pour personne, dans le désert. Je le connais. C'est plus fort que lui. Il ne peut pas s'en empêcher. Il chante naturellement, comme le nègre souffre. Regardez, que voyez-vous?

— Je vois de la cendre partout. La terre entière, oncle Nat, est comme une patate brûlée.

— C'est rien, patron, c'est rien, c'est la bombe atomique. C'est pas ça qui empêchera mon rossignol de chanter.

— En êtes-vous sûr?

— Je vous en donne solennellement ma parole de vieux nègre. Car il faut un très vieux nègre, patron, pour savoir vraiment ce que c'est, le courage. Cherchez bien.

— Je cherche bien.

— Mettez votre nez partout. Fouillez-moi toutes les forêts vierges.

— Les forêts vierges, oncle Nat, il n'en reste pas une brindille. Elles sont allées retrouver les grandes capitales.

— Et les Andes, patron? Et la fameuse Cordillère? Jetez-y un coup d'œil.

— Il n'en reste pas un caillou.

— Et l'Himalaya?

— Mazette, oncle Nat, vous y allez un peu vite... L'Himalaya est là. Il branle un peu dans sa gencive, et il est tout noir, mais il tient encore. Ça sent le roussi, par exemple. Les neiges éternelles ont fondu. Les carcasses d'animaux à demi calcinées et les troncs d'arbres brûlés couvrent ses flancs...

— Montez, montez encore, patron. Les flancs, pour nous, c'est d'une importance secondaire. Voyons tout de suite les sommets.

— L'air se fait rare. Il m'est difficile de respirer.

— Faites un effort, patron. Respirez un bon coup, avant. Comme ça, comme ça... Allez-y, maintenant. Et comptez sur moi, si vous vous sentez mal, vous n'avez qu'à m'appeler.

— Je vois quelque chose.

— Mon rossignol?

— Un arbre, oncle Nat. Il y a un arbre, debout, tout nu, sans feuilles, mais avec toutes ses branches.

— Et s'il reste quelque part une branche intacte, patron, tous les espoirs nous sont permis. L'humanité ne demande pas plus. Regardez bien. Il est sûrement dessus.

— Il est dessus, oncle Nat. Je le vois à présent.

— Hurrah ! Je vous l'avais bien dit.

— Il fait une drôle de tête, par exemple.

— Il y a de quoi.

— Ses ailes sont toutes roussies.

— Bon, bon, il lui reste donc des ailes.

— Ses yeux ont une expression de presque humaine imbécillité.

— Bon, bon, il lui reste donc des yeux.

— Il tremble encore et il s'accroche faiblement, comme s'il avait peur de tomber.

— Bon, bon, il tient donc à la vie.

— Son bec est ouvert et des sons affreux sortent de sa gorge...

— Il chante, patron, il chante ! Nous sommes sauvés. Donnez-lui encore quelques millénaires et il étonnera le monde de sa voix. Je vous l'avais dit, patron, je vous l'avais dit : il faudrait bien autre chose que la fin du monde pour tuer le courage, patron.

— Cessez donc de gesticuler comme un sourd-muet qui a beaucoup à dire. Je sais, mon Maître, je sais. Il y a une question qui vous brûle les lèvres depuis deux mille ans.

— Depuis bien plus que ça, mon ami. Depuis que je vous connais. Depuis que nous sommes là... Votre barde immortel est-il un âne, enfin, ou un rossignol ?

— Pukka Sahib ! Ai-je hurlé en vain parmi les étoiles ? Regardez ses longues oreilles, son bec affamé, son œil stupéfait, ses plumes hérissées, son poil galeux, ses ailes tordues, son dos battu, sa carotte métaphysique, écoutez dans la nuit son chant désespéré... C'est un homme.

XIII

Il ne s'agit plus que de hurler

Tulipe était assis sur la descente de lit et filait de la laine. Il avait beaucoup maigri et son regard avait pris une expression de profond étonnement. Il remâchait encore les dernières bribes du discours qu'il venait de prononcer à la radio.

— N'hésitez pas. Choisissez la nouveauté, choisissez l'amour, choisissez-moi. Vous avez connu la drôle de défaite, n'acceptez pas aujourd'hui la drôle de victoire. Adhérez tous en masse au mouvement « Prière pour les Vainqueurs » ! Rendez-vous compte que l'adhésion vous est dictée par l'histoire, qu'elle vous est ordonnée par la nécessité. Tout est à renouveler dans notre patrie humaine : les cœurs, les esprits, le matériel roulant. Pendant cinq ans et plus, notre outillage intellectuel et agricole, déjà retardataire au départ...

— Ne vous frappez pas, patron.

— Je ne me frappe pas.

— Car tout cela n'empêchera ni l'âne de braire, ni les tulipes de pousser.

— Ni le rossignol de se taire, oncle Nat.

— Ni le rossignol de se taire, patron.

— N'hésitez pas, murmura Tulipe. Répondez oui aux deux questions ! Oui à la vie et à la mort, oui à la haine et à la couleur de ma peau, oui au cancer et aux pluies d'automne, oui au mépris, oui, oui, oui à tout, jusqu'à perdre haleine, un seul grand oui à tout, un seul grand oui biologique !

— Là, là, patron, ne faites pas le méchant.

— La collectivité, cita Tulipe, d'une voix monotone, doit tirer de chaque bonhomme, par une exploitation exacte, qui est la formule même de l'égalité, le plein de son activité personnelle. Chaque bonhomme doit bénéficier à plein de l'apport collectif de la science et de la technique...

Il se mit soudain à pleurer.

— Là, là, patron, ne vous frappez pas, s'empressa d'ajouter oncle Nat. Il n'y en a plus pour longtemps. Encore un effort et nous pourrons fermer boutique et nous retirer des affaires. *La Voix des Peuples* offre cinq mille dollars pour l'exclusivité de la nouvelle. Je suggère quelque chose dans ce genre : « Touché par les témoignages de sympathie, rassuré de voir son exemple si spontanément suivi dans le monde, Tulipe vient d'annoncer son intention d'interrompre son jeûne. Il demande à ses disciples d'interpréter ce geste comme une marque de foi dans le petit homme, dans son œuvre, dans son destin et dans l'avenir éclatant de la société occidentale.» Une carte de Leni, patron. De Hollywood. Les prises de vues du «Blanc Mahatma de Harlem» ont commencé. En couleur, patron, chantant et dansant... Ne vous frappez pas.

Le départ de Leni avait plongé le meublé dans un désordre sans nom. Les lits n'avaient pas été faits depuis huit jours, des journaux, la vaisselle et le linge sales traînaient partout. Les nègres entraient sans frapper, restaient là autant qu'il leur plaisait, griffonnaient leurs initiales sur les murs, volaient, discutaient et riaient entre eux sans se gêner. Une vache ruminait tranquillement dans un coin, en poussant de temps en temps des mugissements satisfaits. C'était une vache sacrée que Tulipe avait reçue des Indes, avec un mot touchant, l'assurant de «toute notre estime et de notre chaude sympathie pour le vaillant peuple européen en lutte pour sa libération». Les disciples de Tulipe, surtout parmi les intellectuels, traitaient la vache sacrée avec un respect profond. Son fumier était offert en permanence à la dévotion des fidèles. Le succès prodigieux de son œuvre n'avait pas tourné la tête au

Mahatma et ne l'avait pas fait renoncer aux mœurs patriarcales que nous lui connaissions ; le seul signe d'une certaine aisance était un disciple qui se tenait constamment auprès du Maître, lui présentant la cendre dans un plat d'argent.

— Des Gandhis partout, annonça Grinberg, au retour d'un voyage dans le Sud, où, par centaines, les Noirs faisaient la grève de la faim pour protester contre leur condition. Des Gandhis partout et des millions de Noirs derrière eux, tous résolus à vaincre ou à mourir.

— Ils mourront, dit Costello.

— Des millions de nègres résolus, dit Flaps, et au milieu de tout ça, le petit homme.

— Et au milieu de tout ça, Tulipe, murmura Biddle, avec émotion. Le petit ami du pauvre. Le petit ami du nègre. Le petit ami de tout le monde. Et au milieu de tout ça, Tulipe tout seul. C'est très émouvant.

— Très, dit Grinberg, en se mouchant.

— Il nous défendra, dit Biddle. Le petit homme nous défendra. Le petit père. Tulipe. Même le nom est beau. C'est un nom qui dit tout. Si simple ! Ça pourrait être le nom d'un Noir. Tulipe résoudra le problème noir. Tout seul, il le résoudra.

— Pas tout seul, dit Grinberg. Il aura tout l'Occident derrière lui. Il le résoudra en un clin d'œil.

— Et après? demanda Costello.

— Le grand silence blanc, dit Grinberg.

— *C'est tout, mon ami? Avez-vous fini? Puis-je vous demander si c'est là bien tout ce que vous avez à nous dire?*

— *Il ne s'agit plus de dire, mon Maître. Il ne s'agit plus que de hurler.*

— *Old Man River,* chanta Biddle.
That Old Man River
He keeps on rolling
He keeps on rolling
He keeps on rolling...

— Tu n'as pas fini de hurler? dit Grinberg.

— *Old Man River,* dit Biddle. C'est tout ce qu'ils nous laissent. Tout ce qu'ils nous demandent, c'est de chanter *Old Man River* pendant quelques générations encore.

— Et après?

— Après, ils nous trouveront une autre chanson.

Au vingt-cinquième jour de son jeûne, Tulipe fut reçu solennellement par la Municipalité de New York. Ici encore, les films d'actualités retrouvés au Musée de l'Homme constituent un document indispensable à tous ceux qui s'intéressent à la naissance et à l'épanouissement de notre civilisation. Il est impossible de voir la silhouette chétive de l'Européen grimper, pieds nus, les marches de l'énorme escalier de marbre sans être pénétré d'un sentiment de piété et d'humble vénération. Les vêtements cérémonieux des hauts dignitaires municipaux et leurs riches présents forment un contraste saisissant avec la tenue si modeste et si démocratique de Tulipe : pieds nus, comme nous l'avons dit, l'Européen couvre son corps d'un simple drap jeté par-dessus l'épaule à la manière d'une toge. Des discours furent échangés. Malheureusement l'allocution de bienvenue prononcée par le maire de New York fut entièrement mutilée au cours des premiers pogroms des blancs, qui eurent lieu au troisième siècle de notre ère ; seule la réponse de l'Européen nous est parvenue à peu près intacte. Entrecoupée de hurlements enthousiastes, à demi noyée dans les acclamations frénétiques d'une foule que certains historiens évaluent à plus de douze millions, la faible voix de Tulipe parvient cependant à se faire entendre et à s'imposer, comme l'a dit si justement un chroniqueur, «par sa faiblesse même». Ces quelques phrases sont aujourd'hui apprises par cœur dans toutes les écoles ; nous n'hésiterons pas cependant à les reproduire. «Amis, dit Tulipe, je vous remercie de l'accueil que vous m'avez fait et qui s'adresse, je le sais, au-delà de moi, à ma patrie européenne. Nous avons besoin d'uranium, d'outillage industriel et agricole et d'un crédit moral et financier d'une durée indéterminée. Nous offrons en échange les poèmes de Pétrarque, les œuvres complètes de Shakespeare et l'entrée libre de tous les musées de France et d'Italie. Nous vous demandons aussi le secret de l'énergie nucléaire et nous sommes prêts à vous donner en échange le plan complet de la cathédrale de Chartres...» On devine aux gestes et aux mouvements de lèvres de l'Européen qu'il prêcha ainsi pendant longtemps encore; mais à partir de ce point, les hurlements de joie et les acclamations continues de la foule noient complètement son oraison.

XIV

Encore une patrouille de foutue

— Oncle Nat.

— Oui, patron.

— Le poids du ciel et de la terre, quelquefois, c'est trop pour un seul homme.

— Il faut vous y faire, patron. C'est la loi de la pesanteur.

Tulipe soupira.

— Je voudrais arracher enfin l'homme à sa solitude...

— Choisissez donc une révolte à votre taille, conseilla Natanson. L'homme, patron, c'est une terrible solitude. Il l'a toujours été, il le sera toujours. Ce ne sont pas vos P.T.T. qui y changeront quelque chose.

La matinée avait été occupée par le défilé habituel de Noirs de toutes les races, plus ou moins excités qui demandaient à voir Tulipe, à écouter son message, à se confier à lui, à compter ses côtes, à avoir une mèche de ses cheveux, à recevoir sa bénédiction. Comme

Date : 05/06/1999 16:00:26
Ticket: 18 Cloture: 70
Caiss1:   5 Poste: 3

    1 ANIMA MUNDI   9,90 1
    1 TULIPE   6,80 1

    Reglement - CARTE (EFT)   16,70

    2   Total :   16,70

RESUME TVA
1 = 02,30%   TTC :16,70

ACHAT
ec-Direct
6710 27900 79444187 0 1200 0

tous les jours, le Mahatma dut refuser d'innombrables invitations à dîner dans le monde. Il reçut également la visite d'un certain Rosselli, plus connu dans le quartier sous le surnom de Wurlitzer Kid, qu'il devait à sa taille gigantesque et sa magnifique voix de basse. Oncle Nat l'avait connu après l'avant-dernière guerre, alors qu'ils travaillaient ensemble dans une entreprise de déménagement. «Nous étions à l'époque deux nègres idéalistes, se rappelait-il rêveusement, et nul poids n'était trop lourd pour nos épaules. De vrais Tulipes, patron... surtout Rosselli. Il titubait toute la journée dans les rues de Harlem, plié en deux, avec un poids terrible sur le dos. «Un de ces quatre matins, lui disaient les autres nègres, assis sur le trottoir, à fumer tranquillement et à cracher devant eux, un de ces quatre matins, Kid, tu vas te retrouver au bout d'une corde bien tendue, aussi vrai que Dieu existe. Ça sert à rien à un nègre de vouloir péter plus haut que son cul. — Je veux soulever l'Empire State Building et le jeter à la mer, tonnait Rosselli, en craquant un peu. Je veux soulever tous les gratte-ciel de Wall Street et les jeter à la mer, avec tous les mauvais nègres qui sont dedans.»

— Il n'y a rien à faire de ce côté-là, Kid, disaient les nègres, en crachant et en hochant la tête. D'autres nègres ont essayé avant toi.

Rappelle-toi Rosa Luxemburg, Matteotti, Karl Liebknecht... Nous les pleurons encore !

— Qu'on me donne ici cette usine de canons ! grondait résolument Wurlitzer Kid.

— Il n'y a pas un nègre au monde capable de soulever tout seul ce morceau-là, l'assuraient tristement les Noirs. Même si tous les nègres que le Seigneur a faits se mettaient ensemble, ils ne seraient pas encore assez forts, Kid.

— Peut-être qu'ils sont assez forts, mais qu'ils ne le savent pas, suggérait Kid. Peut-être qu'ils n'ont pas beaucoup essayé, non plus. Moi, je veux essayer.

— Il y a eu comme ça une fois, il y a très longtemps, un nègre de Bethléem qui avait essayé, murmuraient les Noirs, en soupirant, et rappelle-toi ce qui lui est arrivé. Non, Kid, tu n'as pas assez mangé d'épinards pour t'attaquer à des morceaux comme ça.

Mais tous ces propos défaitistes n'arrivaient pas à la cheville de Rosselli qui avait, semblait-il, le cœur plus solidement attaché à la voûte et plus difficile à décourager que toutes les belles cloches qui ont jamais sonné hosanna sur terre. Seulement, il avait aussi une belle voix ; et ce fut cette voix qui causa sa perte. Un soir d'été, il était en train de chanter l'hymne nègre dans sa chambre, la fenêtre était ouverte, il y avait un Blanc qui passait par là ; quinze jours après, Rosselli chantait *Swing, swing my heart* et *Oh ! how I love my sugar daddy* à la radio ; un mois après, il achetait une Packard, un chauffeur en livrée, devenait membre de l'association « Amérique d'abord » et obtenait ses papiers américains.

— Parlons peu, mais parlons bien, dit le Kid, en entrant dans le grenier. Je viens pour écouter votre fameux rossignol. On ne parle que de lui dans le quartier. « Il y a un nègre à Harlem, un certain Natanson, qui a un fameux rossignol dans son grenier. Il s'appelle Tulipe et il a la plus belle voix du monde. On l'écoute et la vie devient meilleure et chaque nègre sait pourquoi il est né : pour écouter, dans la nuit, le chant du rossignol. Il chante, Kid, comme tu n'as jamais chanté et comme tu ne chanteras jamais... Le seul rossignol au monde à chanter d'une voix humaine ! » Je viens pour l'entendre. Je viens pour lui faire un contrat !

— Ce n'est pas un rossignol comme les autres, mon rossignol, grommela oncle Nat. C'est une vraie allégorie.

— Je gagne assez d'argent pour pouvoir me payer un rossignol, même s'il est d'une espèce un peu rare !

— C'est un rossignol idéaliste...

— Je paierai ce qu'il faudra.

— C'est un rossignol, dit oncle Nat, qui ne chante que des chants révolutionnaires !

— C'est parce qu'il a faim. Donnez-lui deux repas par jour, une cage confortable et il chantera *Swing, swing my heart* et *Oh! how I love my sugar daddy,* comme tout le monde!

— Ce n'est pas une cage qu'il lui faut, dit oncle Nat, c'est une poitrine.

Et, lorsqu'ils furent seuls, oncle Nat dit à Tulipe comme d'habitude :

— Patron, ne vous frappez pas.

— Je ne me frappe pas, oncle Nat.

— Car tout cela n'empêchera pas le rossignol de chanter.

— Nous ne sommes pas ici pour écouter chanter le rossignol.

— Et pourquoi sommes-nous ici, alors, s'il vous plaît?

— Je n'en sais rien. Personne n'en sait rien.

— Ta ta ta, patron. Moi, je sais très bien. Nous sommes ici uniquement pour faire plaisir aux rossignols.

— Peut-être bien.

— Il n'y a pas de peut-être bien, c'est sûr, puisque c'est moi qui vous le dis. Je le dis et je le prouve. Je sais très bien comment ça s'est passé. Le Seigneur a créé le rossignol et lui a donné une très jolie voix, et le rossignol, dès qu'il eut sa dernière plume où je pense, vola sur une branche et tur-lu-tu! tur-lu-tu! Je te chante et je te chante à longueur de nuit. Deux cent quarante-sept nuits de file qu'il a

118

chanté comme ça, le rossignol. Et puis, soudain, il est devenu tout triste et il s'est tu. Et le Seigneur lui dit : «Eh bien, rossignol, qu'y a-t-il? Je t'ai donné la plus belle voix du monde et tu ne t'en sers pas? C'est du joli. J'irai loin, avec ma création, si tout le monde fait comme toi.» Et alors le rossignol vola devant le Seigneur et lui dit : «Grand-père, à quoi ça me sert d'avoir une jolie voix, lorsqu'il n'y a personne pour l'admirer? — Il y a moi, dit le Seigneur, d'un ton légèrement vexé. — Ce n'est pas drôle, dit le rossignol. Avec vos moyens, vous chanterez demain comme moi, si l'envie vous en prend. — Bon, bon, dit le Seigneur, je verrai ce que je pourrai faire pour toi.» Et le lendemain, il a eu cette idée...

— Pour une idée, ça, c'était une idée! soupira le Mahatma.

— Il a créé le bonhomme. Et voilà pourquoi l'humanité a été créée, patron; pour faire plaisir au rossignol!

Toute la journée, la foule pria devant la maison et, vers le soir, elle se mit à réclamer Tulipe avec insistance. Oncle Nat conduisit son ami jusqu'à la fenêtre. La foule poussa des hurlements, cria : «Vive l'Europe! Vive son Président!» et se livra à mille autres manifestations de ferveur et de sympathie.

Et ce fut alors que Tulipe commença soudain à mollir.

Il embrassa la foule d'un regard étrange, se jeta un peu de cendre sur la tête et dit, d'une voix monotone :

— Le monde a besoin d'une belle et pure figure.

— Hé là, patron, s'inquiéta immédiatement oncle Nat, vous n'allez pas commencer à vous frapper ? Rappelez-vous ce qui est arrivé à Sammy-la-Semelle !

— L'humanité réclame une figure de proue, murmura le Mahatma.

Oncle Nat courut vite chercher un verre d'eau, mais Tulipe le repoussa, d'un geste plein de dignité.

— Pourquoi me refuser à la vraie grandeur ?

— Patron, ne nous emballons pas !

— À bas l'isolationnisme des consciences ! hurla alors Tulipe.

Oncle Nat recula, épouvanté.

— Ça y est, gémit-il, il s'est roulé lui-même !

— Je proteste contre la misère du monde !

— Il a mordu à son propre hameçon !

— Contre le petit village à côté ! hurlait Tulipe.

— C'est l'histoire de l'apprenti sorcier !

— Nous voulons, tonna Tulipe, en bondissant sur une table et en brandissant le poing, nous voulons que d'une communauté de souffrance sorte enfin une communauté d'action !

Il passa la nuit à marcher de long en large

du grenier, tout nu, la tête couverte de cendre, en gesticulant et en marmonnant quelque chose de biblique. Au petit matin, il psalmodia :

— Je suis la patrouille de l'aube qui s'avance dans le no man's land...

Oncle Nat, qui l'avait veillé toute la nuit, leva les bras au ciel.

— Encore une patrouille de foutue! se lamenta-t-il*.

* À partir d'ici, les notes de la main de Tulipe n'apparaissent plus en marge du manuscrit, ce qui semble bien indiquer que l'imposteur a changé de méthode et a décidé de perfectionner son escroquerie en lui donnant un caractère d'authenticité.

XV

Individu pas mort

L'épicerie de signor Cherubini se trouvait à Soho, au cœur de Londres, entre le restaurant « Aux délices d'Athènes » et la boutique du tailleur Govnanian. C'était un réduit encombré de caisses, de pots et de salamis qui pendaient du plafond comme des stalactites ; il y régnait une demi-obscurité et une chaleur propice aux bonnes odeurs, parmi lesquelles se faisait remarquer, avec insistance, un très beau parfum de gorgonzola. Le propriétaire du lieu habitait dans l'arrière-boutique ; il y avait un lit étroit et quelques caisses qui servaient de meubles ; les gorgonzolas et les salamis y étaient également représentés, sur une étagère spéciale : l'épicier était habitué à l'atmosphère de sa boutique et dormir dans un air différent lui donnait mal à la tête. Sur le mur, en face du lit, il y avait une pendule avec un très vieux coucou qui disait l'heure d'une voix fatiguée. À côté de la pendule, il y avait une cage avec un vénérable perroquet, originaire de Pise, que signor Cherubini avait emmené avec lui en exil au moment de l'affaire Matteotti. Le vocabulaire de l'oiseau témoignait d'une belle culture politique et d'un attachement solide à la liberté : «À bas le fascisme!» était un de ses cris favoris, ainsi que «Vive la République!», «Individu pas mort!» et même «Charte de l'Atlantique!», mots mystérieux, proférés souvent au milieu de la nuit, d'une voix effrayée, comme s'il avait des cauchemars. Il est bon de remarquer, toutefois, que l'ardeur politique du vieux militant avait fini par s'atténuer sensiblement après la guerre; il commença par espacer ses manifestations d'opinion, prêtait l'oreille, réfléchissait en fermant un œil, jusqu'au jour où, sortant soudain d'une torpeur étrange, il lança pour la première fois son «cou-cou» triomphal, qu'il prenait peut-être pour le mot d'ordre des temps nouveaux, n'étant dépourvu ni de philosophie désabusée, ni de ce sens d'observation cruel propre à de très vieilles gens. Le nom de l'oiseau était Paolo. Sur une caisse, il y avait un poste de T.S.F. : signor Cherubini aimait à être tenu au courant, d'heure en heure, de tout ce qui se passait dans le grand monde, afin de ne pas être pris un jour au dépourvu, à une époque où les gouvernements ne sauraient être surveillés de trop près. Il écoutait le compte rendu de la situation, le front soucieux et les bras croisés sur la poitrine, et s'il y avait une décision urgente à prendre, il n'hésitait pas une seconde, quittait sa boutique, traversait la rue, entrait chez son ami Mr. Jones et lui disait exactement ce qu'il fallait faire. « Voilà la solution, terminait-il. Maintenant, les voilà avertis. Je me lave les mains du reste. » Et Mr. Jones hochait la tête et disait simplement : « Oh ! dear, oh ! dear », comme pour exprimer sa crainte que, bien qu'avertis, « ils » n'en fissent malgré tout qu'à leur tête. Signor Cherubini et Mr. Jones étaient liés d'une amitié qui ne devait rien au fait fortuit que leurs boutiques se faisaient vis-à-vis : il leur semblait même quelquefois que leur amitié naquit d'abord et que, plus tard, les boutiques vinrent se placer l'une en face de l'autre, en signe de bonne volonté. Mr. Jones pénétrait toujours dans l'épicerie en trottant, avec les mouvements furtifs d'une souris qui viendrait inspecter un morceau de gorgonzola. Il s'asseyait sur une caisse, près du comptoir aux épices ; signor Cherubini trônait derrière, un journal à la main, la moustache légèrement hérissée et les yeux exorbités par l'inquiétude que les nouvelles lui inspiraient généralement ; les manches de sa chemise étaient toujours retroussées, hiver comme été, exposant, sur son bras gauche, un tatouage repoussant : il n'avait jamais été dans la marine, mais avait voulu rendre service à un artiste amateur de Soho. Les deux amis ne se parlaient guère : la preuve avait été faite depuis longtemps que Mr. Jones était toujours et en tout d'accord avec signor Cherubini. Ce n'était pas chose facile, quelquefois, car l'épicier changeait souvent d'avis, mais Mr. Jones n'hésitait jamais à changer d'avis avec lui. Généralement, signor Cherubini lui lisait à haute voix le journal, avec un accent piémontais très prononcé, choisissant soigneusement les plus mauvaises nouvelles :

— Le gouvernement ne fait toujours rien contre le taudis, déclarait-il par exemple, en regardant son ami avec reproche.

— Oh! dear, oh! dear, soupirait Mr. Jones, et signor Cherubini lui tendait alors, au bout de son énorme couteau, un morceau de gorgonzola :

— Formaggio?

Le gorgonzola donnait à Mr. Jones de très fortes brûlures d'estomac. Mais il les bravait quotidiennement, sachant bien que l'amitié, comme toute chose, avait sa rançon. Il était de caractère impressionnable; et comme signor Cherubini, chaque matin, ne manquait jamais de lui annoncer quelque terrible nouvelle, accompagnée d'un odieux fragment de gorgonzola, Mr. Jones était de plus en plus porté à la mélancolie. Leurs entretiens se déroulaient toujours dans l'épicerie : Mr. Jones était le représentant dans Soho d'une entreprise de pompes funèbres et, malgré tous ses efforts, l'atmosphère de sa boutique manquait quelque peu de gaieté. Il y avait aussi certaines publicités regrettables que la firme de Mr. Jones avait cru bon d'introduire pour allécher la clientèle exotique de Soho : « Coupe de cheveux : un shilling. Barbe : six pence. Massage, pour donner au visage du défunt un air pieux et satisfait : une demi-couronne. » Bien regrettable aussi était l'inscription : « Coups de fer, coups de brosse à la minute », qui semblait supposer chez tous les intéressés une hâte d'un parfait mauvais goût. « L'entreprise se charge entièrement de *tout* transport », proclamait une autre pancarte, et l'on ne pouvait s'empêcher de penser que l'entreprise, décidément, avait le bras long... D'un commun et tacite accord, la boutique de signor Cherubini avait été choisie par les deux amis comme leur lieu de réunion. Or, un matin, en pénétrant dans la boutique, Mr. Jones trouva l'épicier en proie à une vive agitation, se démenant comme un lion dans sa jungle de salamis ; dans sa main, le journal déployé avait cet air défait du voleur pris en flagrant délit.

— Individu pas mort ! hurlait Paolo dans l'arrière-boutique.

— Non, Paolo, vieil ami, cria signor Cheru-

126

bini, non, individu pas mort! Je dirai même que jamais il n'a été plus vivant, plus résolu, prêt à flétrir les crimes des collectivités, jetant enfin le grand cri de ralliement d'une croisade contre le principe barbare de la Souveraineté des États! Écoutez cela, mon cher, écoutez cela attentivement.

Il lut :

— «Aujourd'hui, quarante-deuxième jour de la Croisade de la faim de Tulipe, le Blanc Mahatma de Harlem. Le leader du grand mouvement d'émancipation humaine, dont les disciples se chiffrent par millions dans le monde, s'affaiblit rapidement. Tous les efforts des membres du Congrès pour lui faire interrompre le jeûne demeurent sans résultat. "Bâtissez d'abord une société meilleure, basée sur la justice et le respect de la personne humaine, expurgez vos manuels d'histoire, rééduquez les vainqueurs et les vaincus, donnez à tous du pain, du travail et de la lumière... Abolissez le principe criminel de la Souveraineté des États! Proclamez enfin le principe sacré de l'intervention obligatoire de tous les États dans les affaires intérieures de tous les autres! À bas l'isolationnisme des consciences! Pour un monde un et uni, en avant!" À un télégramme de Calcutta l'invitant à considérer qu'un peu de jus de fruit, de jus de viande, de légumes frais et des massages biquotidiens avec des sub-

127

stances nourrissantes n'étaient pas incompatibles avec un jeûne total, le Mahatma répondit par un refus indigné : "Regardez où l'esprit de compromis a mené l'Église de Rome", télégraphia-t-il.

« Une telle foule se presse jour et nuit autour de la maison de Tulipe que le service d'ordre doit être continuellement renforcé. Le travail de la police est compliqué par des milliers de jeunes filles dont l'âge varie de treize à seize ans, qui se couchent sur la chaussée et le trottoir dans un état d'extase voisin de l'attentat à la pudeur. Plusieurs de ces jeunes enthousiastes sont parvenues à forcer la porte du Mahatma, le suppliant de venir jusqu'à la fenêtre et de chanter *Swing, swing my heart* et *Oh ! how I love my sugar daddy* pour la foule des fidèles. Tulipe, bien que véritablement affaibli, s'exécuta de bonne grâce. À un journaliste qui lui demandait s'il comptait pousser jusqu'au bout sa croisade, il répondit : "Je fais don de ma personne à l'humanité. Je veux révéler enfin au monde stupéfait toute la puissance cachée de l'individu." Le grand sweepstake organisé par les membres de l'association "Prière pour les Vainqueurs", au profit de leur œuvre, vient d'être gagné par le jeune Tim Zyskind, de New York, qui a deviné le poids exact de Tulipe au soixante-treizième jour de son jeûne : quatre-vingt-six livres et deux onces. La

128

croisade monstre ouverte par les banquiers de Wall Street contre le cancer, ce fléau social, bat toujours son plein, et les Instituts de Défense contre le Cancer se multiplient toujours à travers le pays, au point que Tulipe a dû envoyer aux banquiers un appel pressant, les priant de cesser ces luttes fratricides. Du Vatican : Les milieux généralement bien informés se montrent très réservés au sujet d'une nouvelle de l'"Associated Press", d'après laquelle le corps du Jeûneur Européen dégagerait déjà une odeur de roses. »

— Individu pas mort! cria Paolo.

Signor Cherubini plia le journal et regarda Mr. Jones dans les yeux.

— Soho se doit de répondre à cet appel, sans perdre une seconde, dit-il sourdement.

Mr. Jones ne répondit rien, avala sombrement le morceau de gorgonzola que lui tendait son ami et rentra chez lui en proie aux pires pressentiments.

XVI

Il fait des miracles

Et alors Tulipe fit transporter dans le grenier un vieillard paralytique; et il lui dit :
« Lève-toi et marche ! » et le paralytique ne se
leva pas et ne marcha pas. Et alors Tulipe
répéta en pleurant : « Lève-toi et marche ! » et
le paralytique fit un effort prodigieux; mais il
ne se leva point et ne marcha point. Et pour
la troisième fois, Tulipe le supplia alors : « Lève-
toi et marche ! » mais le pauvre homme ne put
bouger et dit seulement à Tulipe, avec une
grande pitié dans la voix : « Pardonnez-moi,
mon frère, de ne pouvoir vous aider. » Et alors
Tulipe pleura et il envoya chercher en toute
hâte un aveugle et lui dit : « Ouvre les yeux et
vois ! » Et l'aveugle ouvrit les yeux; mais il ne
vit point. Et alors Tulipe tomba à genoux
devant lui et supplia : « Par pitié ! ouvre les
yeux et vois ! » Et le vieux nègre ouvrit les yeux;
mais il ne vit point. Et des larmes amères cou-
lèrent alors sur ses joues et il dit à Tulipe :

«Pardonnez-moi, mon frère, mais je ne puis rien pour vous.» Et alors Tulipe fit monter dans le grenier une jeune Noire dont l'enfant mourait de fièvre; et il toucha le front de l'enfant et il lui dit : «Sois guéri!» Mais la fièvre ne tomba point. Et alors Tulipe répéta avec tout son espoir : «Sois guéri, sois guéri!» Mais l'enfant ne guérit point; au contraire, il mourut presque aussitôt dans les bras de sa mère. Et alors la mère éplorée dit à Tulipe avec humilité : «Pardonnez-lui, mon Maître, car il est bien jeune et ne sait pas ce qu'il fait.» Et alors Tulipe se cacha la figure dans les mains et pleura; puis, faisant monter un nègre dans son grenier, il lui dit : «Sois blanc, aie pitié de moi!» mais le jeune nègre demeura noir et il prit seulement la main de Tulipe et la serra et dit timidement : «Pardonnez-nous, mon Maître, nous ne pouvons rien faire pour vous.» Et alors Tulipe s'enferma dans son grenier et passa sept jours et sept nuits à pleurer; et, dans la rue, la foule attendait en silence, triste mais résignée, en mâchant pensivement du chewing-gum — oui, car telles étaient, en vérité, sa tristesse et sa résignation. Et voyant alors le chagrin de la foule, oncle Nat alla parmi elle et lui dit : «Écoutez, écoutez, car j'ai à vous parler.» Et alors la foule l'écouta; et l'ayant écouté, elle l'acclama. Et aussitôt un faux paralytique, un faux aveugle et une jeune Noire dont l'enfant dormait d'un sommeil paisible furent montés dans le grenier. Et Tulipe dit au paralytique : «Lève-toi et marche!» et le paralytique se leva et sortit d'un pas ferme. Et ne se retenant plus de joie, Tulipe ordonna à l'aveugle : «Ouvre les yeux et vois!» et l'aveugle ouvrit les yeux et il vit. Et une grande lumière descendit alors sur le visage de Tulipe et il se tourna vers l'enfant assoupi dans les bras de sa mère et lui cria, d'une voix claire : «Sois guéri!» et le petit innocent se réveilla et se mit aussitôt à gigoter et à hurler à tue-tête. Et alors Tulipe tomba à genoux et leva les bras au ciel et cria : «Merci, Seigneur, merci, car, en vérité, je n'ai jamais douté de Toi!» Et il fit monter alors dans le grenier ses disciples préférés; et il mangea solennellement un peu de purée devant eux, pour célébrer l'événement.

— *De qui vous moquez-vous, mon ami?*
— *De moi-même.*

XVII

Il se prend au sérieux

Le lendemain matin, Mr. Jones trouva la boutique du signor Cherubini fermée et il n'eut pas besoin de son pince-nez pour lire l'énorme inscription à la craie en travers du volet : «Adhérez tous en masse au grand mouvement d'émancipation humaine "Prière pour les Vainqueurs". Le mouvement, entre-temps, avait déjà fait en Angleterre un départ foudroyant. Lady Chum, la femme bien connue de l'ancien ministre Sir Archibald Chum et Présidente du Comité d'Aide Matérielle et Morale aux Mulets de Russie, assuma spontanément la direction de l'association. Signor Cherubini courut lui offrir ses services. Là-dessus, Lady Pope, la femme bien connue de l'ancien ministre Sir John Pope, sœur de l'ancien ministre Sir Ashley Bird et fille de l'ancien ministre Sir Portous Bird, sortit résolument du rang où elle rongeait impatiemment son frein dans ses obscures fonctions de

Présidente du Comité d'Aide et Secours aux Chiens sans Maître, et réclama hautement l'honneur de diriger le nouveau mouvement humanitaire. Signor Cherubini n'hésita pas un instant et se mit entièrement à sa disposition. Immédiatement, Lady Tipps, la femme bien connue de l'ancien ministre Sir Bernadette Tipps et mère du futur ministre Jonathan «Jumbo» Tipps, Présidente d'une organisation dont le but était de trouver un home en Grande-Bretagne à tous les petits chats abandonnés d'Allemagne qui se trouvent privés de toit familial, de soins et d'affection, à la suite des bombardements alliés de leur pauvre cher grand pays, prit résolument la direction du mouvement. Signor Cherubini, quelque peu désorienté, se plaça toutefois entièrement sous ses ordres. Lady Pope contra violemment en écrivant une lettre au *Times*, conçue en termes violents, dans laquelle elle déclarait qu'«à une époque où tant de chats alliés manquaient littéralement de tout, il était inadmissible de voir les chats de l'ennemi comblés de bienfaits». «N'avons-nous donc rien appris? terminait dramatiquement Lady Pope. N'apprendrons-nous donc jamais rien? Allons-nous recommencer toujours nos erreurs passées?» La controverse s'envenima lorsque les femmes des ministres travaillistes — lesquelles devaient se contenter depuis la fin de la coalition de postes aussi obscurs que « Présidente du Comité de Lutte contre la Tuberculose » ou du « Front de Lutte contre le Chômage et le Taudis » ou, pis encore, du « Comité d'Entraide des Mères européennes » — levèrent l'étendard de la révolte et réclamèrent la direction du nouveau mouvement. Signor Cherubini perdit le sommeil et maigrit de vingt livres en huit jours en essayant de coordonner toute cette fureur de bienfaisance. Fort heureusement pour lui, sept filles d'amiraux, dont chacune avait été une disciple favorite du Mahatma et avait vécu et jeûné dans son ombre, prirent d'autorité entre leurs mains le comité directeur de l'organisation. À partir de ce moment, le mouvement prit entièrement l'allure d'une croisade. Dix-huit mille paires de chaussettes furent tricotées sans délai par les militantes et une manifestation monstre eut lieu à Trafalgar Square où un détachement spécial de Scotland Yard, composé de deux policemen mesurant respectivement six pieds deux et six pieds trois, eut toutes les peines du monde à maintenir l'ordre et dut même recourir à la force brutale pour contenir la foule et l'empêcher de déferler sur le Parlement. Avec la violence caractéristique des foules londoniennes, la manifestation prit dès le début un caractère sanglant et, en moins d'une demi-heure, la place fut jonchée des cadavres de deux pigeons qui n'avaient pu se réfugier à temps sur la colonne de Nelson. Le lendemain, la ville fut couverte d'affiches de protestation de la Société de Protection de nos Amis muets — branche des pigeons — et quarante-deux lettres indignées furent écrites au *Times*, stigmatisant comme il convenait l'incurie de la police, incapable d'assurer la protection de tous les sujets britanniques, sans distinction de race. Promptes comme l'éclair, les classes possédantes du Royaume-Uni ouvrirent une souscription à laquelle les classes démunies répondirent une fois de plus avec enthousiasme. Pendant tout ce temps, l'épicerie du signor Cherubini demeurait fermée; Mr. Jones apercevait de temps en temps son ami, maigre, pâle, avec l'allure furtive d'un chien battu. Puis, il disparut complètement. Il envoya quand même un mot à son ami pour lui dire qu'il allait habiter au quartier général de l'Association, dans l'hôtel particulier de Miss Genuina Tremor-Spade, la fille de l'amiral bien connu, afin d'être plus près de son travail.

«Je vous envoie ci-joint les clefs de mon épicerie; veillez à ce que les rats ne mangent pas les salamis. Dites à mes clients que le temps est venu pour moi de travailler pour une société meilleure. Les gorgonzolas doivent prendre l'air tous les jours, pendant quelques minutes, remettez-les ensuite sous leur cloche.

J'ai emmené Paolo avec moi. Tulipe et Fraternité. Pietro Cherubini. »

C'est à cette époque, à peu près, au dire des historiens (voir notamment professeur Zavadiakas : «Les derniers jours de Tulipe») que se situe le film admirable conservé aujourd'hui encore au Musée de l'Homme et qui nous montre Tulipe recevant la délégation des intellectuels américains. Il paraît, sinon prouvé, du moins infiniment probable, que cette délégation fut la dernière reçue par le Mahatma de son vivant et cette quasi-certitude souligne encore le caractère sacré et poignant du document. Le film, demeuré intact, nous montre un Tulipe hagard et couvert de cendre au milieu d'un groupe d'hommes portant tous la casquette et l'uniforme des employés des wagons-lits panaméricains. Le chef de la délégation prononce un discours. Malheureusement, la bande sonore, abîmée par les siècles, est aujourd'hui inintelligible ; seules demeurent quelques bribes du discours, reconstituées par les moyens scientifiques les plus modernes.

— Cher Mahatma ! Permettez-moi, au nom de tous les intellectuels américains et en général au nom de tous les citoyens de couleur de ce pays, de vous dire, cher Mahatma, la joie et la fierté que nous éprouvons à vous savoir des nôtres...

Ici vient une suite de craquements inintelligibles, suivis de cette conclusion :

— Cher Mahatma ! Votre exemple a quelque chose de particulièrement significatif pour nous autres, employés de la Société des Wagons-lits et Chemins de Fer panaméricains à responsabilité limitée. Confiants dans le rapprochement des peuples par le développement des entreprises de transports en commun, nous n'admettons aucun isolationnisme des consciences et nous avons décidé, cher Mahatma, de vous offrir ce bouquet de tulipes comme gage éloquent de notre inébranlable volonté d'apporter une aide matérielle immédiate à tous nos frères européens, sans distinction de race, de sexe et de religion.

Ici vient une nouvelle suite de craquements barbares, et le reste du message doit être considéré comme perdu pour l'humanité.

XVIII

Hi-han! sur un glacier

Tulipe était assis sur la vieille descente de lit, au milieu du grenier. Le chapelet pendait entre ses doigts inertes. Un sourire bienheureux éclairait son visage. Il avait des visions ineffables. Devant lui, quelque part dans l'espace, l'équipe de nuit de *La Voix des Peuples* errait sur un glacier. Biddle était vêtu d'une peau de tigre toute neuve; Flaps, Grinberg et Costello portaient des uniformes de correspondants de guerre, tout déchirés et roussis. Ils avançaient prudemment dans la nuit sans lune, claquaient des dents et se serraient les uns contre les autres pour avoir plus chaud et se sentir moins seuls.

— Biddle.

— Quoi?

— D'où tiens-tu cette peau de tigre?

— Je l'ai achetée au Woolworth, une seconde avant l'explosion. Je tendais justement l'argent à la vendeuse, lorsque le monde entier a sauté...

Il conclut avec satisfaction, en caressant la peau :

— Je l'ai eue pour rien.

Ils continuèrent à errer un moment en silence.

— Il y a un mammouth qui nous suit, annonça Biddle.

— On retrouve les mêmes et on recommence, grommela Grinberg.

Flaps s'arrêta.

— Où allons-nous ? se lamenta-t-il. D'où venons-nous ? Pourquoi sommes-nous ici ?

— Gauguin, se réjouit Biddle. C'est un tableau de Gauguin.

— J'aime mieux Picasso, dit Grinberg. Il a tout prédit.

— Qu'est-ce qu'il a prédit ? interrogea Flaps. Qui était Picasso ?

— Un type dans le genre de Nostradamus, dit Grinberg. Un prophète un peu difficile à comprendre. Il a prédit tout ça, dans ses natures mortes. Pluto, bon Pluto. Couche, couche, Pluto. Très, très, très bon Pluto.

— Je hais les gens qui appellent leur mammouth Pluto, dit Flaps.

Il se mit soudain à pleurer.

— Seigneur, ayez pitié de moi ! sanglota-t-il. Rendez-moi mon géranium sur la fenêtre, mon canari dans sa cage, les amours roses sur mes rideaux, rendez-moi mon tabac et mes timbres-poste, mon bain chaud et mon chocolat le matin...

— C'est fou, observa Grinberg, c'est fou ce que vingt siècles de christianisme ont pu donner à un homme !

— Je vois une borne, annonça Biddle.

— Aha ! se réjouit Grinberg. Nous arrivons enfin !

— Il est marqué dessus : «Entrée interdite aux Juifs !»

— On s'en va ? proposa Grinberg. Ce n'est sûrement pas le chemin.

— Parle pour toi, intervint Flaps. On y va ? Nous sommes arrivés. Au revoir, Grinberg.

— Au revoir.

— Attendez, il y a une autre inscription sur cette borne, dit Biddle. «Negroes keep out», lut-il.

— On ne peut pas laisser ce vieux Grinberg seul, décida Flaps. On continue ?

— Ça ne sert à rien de continuer, dit Costello. Ça ne sert à rien d'errer pendant des millénaires. Il n'y a qu'à s'arrêter. Il n'y a qu'à se laisser crever sur place, de haine, de faim, d'humiliation et de mépris. L'humanité entière a disparu et la terre revient enfin à sa fraîcheur première !

— Là, là, là, dit Grinberg. Il ne faut pas toujours prendre tout au tragique.

— Je vous le dis, hurla Costello, l'humanité n'existe plus!

— Il y a tout de même quatre vies alliées de sauvées! constata Biddle, en se frottant les mains avec complaisance. J'ai une idée, ajouta-t-il.

— Vas-y.

— Si on faisait une humanité à quatre, une petite humanité à part, bien à nous, avec ses frontières, ses territoires d'«outre-mer», ses manuels d'histoire, sa mission spirituelle?

— Hé! hé! pourquoi pas, en effet? dit Costello. Nous n'en sommes plus à une saloperie près.

Ils continuèrent à se traîner dans les ténèbres froides. Biddle commença soudain à se gratter.

— J'ai des poux, annonça-t-il. J'ai faim, j'ai froid et j'ai des poux.

— C'est bon signe, dit Grinberg. On approche.

— Une hirondelle ne fait pas le printemps, grommela Costello.

— Il y a des signes qui ne trompent pas, dit Grinberg. Nous avons faim, nous avons froid, nous avons des poux. Je vous le dis : l'humanité a survécu au désastre.

— Où est-elle? dit Biddle. Je ne vois rien, je n'entends rien, des ténèbres partout et le silence.

142

Ils errèrent encore pendant un millier d'années.

— Ce mammouth nous suit toujours, dit Biddle.

— Fais-lui peur, suggéra Grinberg. Jette-lui des pierres.

— Pcht! fit Grinberg, pcht! couche, va-t'en! Il ne veut rien savoir.

— Laissez-le, dit Costello, le mammouth, c'est tout ce qui nous reste.

— Dommage qu'il n'y ait plus de journaux, soupira Flaps. Nous avons tout de même fait un scoop.

— Édition spéciale, cria Biddle, la fin du monde!

— Ce n'est pas très original, dit Costello.

— Ce n'est peut-être pas très original, mais c'est quand même la première fois que ça arrive!

— Qu'est-ce que tu en sais? dit Costello. Personne n'en sait rien. Ça arrive peut-être tous les jours sans qu'on le sache.

— J'ai un autre titre, proposa Grinberg.

— Vas-y.

— La fin du racisme.

— Le plus grand désastre de l'histoire depuis Pearl Harbor, proposa Costello.

— L'Amérique sauve l'Occident, proposa Flaps.

— Le petit homme, s'attendrit immédiatement Biddle. Le petit ami de l'Occident. Le petit ami du pauvre Blanc. Le petit ami de tout le monde. L'idéalisme américain sauve l'Occident. C'est très beau, très émouvant.

— Il faut faire quelque chose, dit Flaps. Il faut enfin passer aux actes. Nous sommes responsables devant l'histoire. On ne peut pas continuer éternellement à errer sur ce glacier. Il faut faire quelque chose immédiatement, quelque chose d'énergique. Si on jetait une bouteille à la mer ? proposa-t-il.

— Il n'y a plus de mer, dit Grinberg. Il n'y a plus que des bouteilles.

— Chantons, alors, pour nous donner du courage, dit Biddle.

Il leva un bras, mit une main sur son cœur, rejeta la tête en arrière :

— Figaro, Figaro, Figaro ! brailla-t-il.

— Il a fait fuir le mammouth, remarqua Costello.

Grinberg se mit soudain à pleurer.

— Je ne peux pas supporter cela ! sanglota-t-il. Quand je pense que tout ce qui reste de notre civilisation, c'est un imbécile qui hurle «Figaro, Figaro, Figaro !» sur un glacier !

XIX

Hi-han! sans reprendre haleine

Cependant, le nouveau mouvement humanitaire prenait en Angleterre de telles proportions qu'il y eut une interpellation à la Chambre des Communes, à laquelle le Home Secretary répondit que l'association «Prière pour les Vainqueurs» ne menaçant, pour l'instant, ni la personne de Sa Majesté, ni celle du Mahatma Gandhi (hear! hear!) il ne voyait aucune raison de l'interdire. Un membre conservateur ayant demandé si le seul nom de «mouvement» ne suffisait pas à rendre suspecte une association dans un pays dont la force principale est l'immobilité, le Home Secretary répondit, dans l'émotion générale, que dans ce pays libre (hear! hear!), il ne voyait aucune raison, lui, ministre travailliste (cheers), de s'opposer à un mouvement quelconque, tant que celui-ci conservait un caractère nettement statique. Aussitôt, le gouvernement profita de l'enthousiasme des membres travaillistes devant cette noble déclaration, pour faire voter une série de mesures tendant à donner aux taudis un caractère de monument historique et pour prescrire aux propriétaires de veiller à les conserver tels quels, sous peine de poursuites pour tentatives subversives contre des institutions nationales ayant un caractère nettement sacré. Ce vote provoqua un tel enthousiasme dans le parti conservateur que dix mille paires de chaussettes furent tricotées immédiatement par les honorables membres de l'association dans tous les coins du pays et que cent cinquante thés de bienfaisance furent servis dans le West End en vingt-quatre heures, battant ainsi de vingt-cinq thés le record établi lors de la dernière famine du Bengale. Ce fut alors que Mr. Jones, qui ne lisait toujours pas les journaux et ignorait entièrement à la fois les proportions que prenait le mouvement en Grande-Bretagne et le rôle magnifique que son ami avait joué dans cet essor, reçut un télégramme ainsi conçu : «Notre Mahatma. Stop. Signor Cherubini. Stop. Désire vous voir. Stop.» Et c'était signé Genuina Tremor-Spade. Mr. Jones faillit avoir une attaque. Il s'effondra sur une chaise, le télégramme à la main. «Oh! dear» fut tout ce qu'il parvint à articuler. Une heure plus tard, il se présentait à l'hôtel particulier des Tremor-Spade, dans Artillery Mansions, Victoria. Une foule compacte, exclusivement féminine, obstruait la rue. Ces dames brandissaient des écrans, des banderoles couvertes d'inscriptions variées : «Intervenez en Espagne, interdisez les courses de taureaux.» «Notre Mahatma se sacrifie pour protester contre le martyre des animaux savants. Que faites-vous pour l'aider?» Mr. Jones parvint à se frayer un passage jusqu'à la porte, mais là il fut immédiatement attaqué sur les flancs par des dames armées d'épingles, auxquelles étaient fixés de petits drapeaux multicolores.

— Pour les familles des chevaux russes tués au front!

— Pour les pigeons voyageurs!

— Pour la Société des Défenseurs de l'Obédience dominicale!

— Pour les Amis de l'Allemagne Nouvelle!

— Sauvez le monde maintenant!

— Pour nos amis les chats!

Un laquais en livrée conduisit Mr. Jones jusqu'à la fille de l'amiral. C'était une dame corpulente, vêtue du nouvel uniforme kaki du mouvement, dans lequel elle avait rang de général.

— Il vous attend, dit-elle, avec une émouvante simplicité.

Elle guida Mr. Jones jusqu'à une porte gardée par deux vieilles demoiselles en uniforme.

— Vous ne lui apportez rien de comestible,

n'est-ce pas? Pas de sandwiches ou de choco-lat?

— Si vous permettez, m'ame, on va le fouiller, pour être plus sûres... Une simple précaution, monsieur.

Cette formalité accomplie, la porte fut ouverte et Mr. Jones introduit. Signor Cherubini était assis par terre et filait de la laine. Un drap blanc lui servait de vêtement. Il avait un regard fixe et ne parut pas reconnaître son ami. À côté de lui, il y avait une cage, et, dans cette cage, était Paolo. Le vieux militant était encore plus maigre que son maître, mais son œil conservait une lueur d'intelligence et il reconnut aussitôt Mr. Jones :

— Oh! dear, dear! Oh! dear! lança-t-il, avec désespoir.

Mr. Jones s'approcha de l'épicier :

— C'est moi, dit-il timidement, me recon-naissez-vous?

Les doigts osseux du signor Cherubini conti-nuèrent leur mouvement d'automate.

— Individu pas mort! hurla Paolo.

— Le Mahatma est en pleine crise mystique, murmura respectueusement la fille de l'amiral.

Au son de sa voix, signor Cherubini frémit et s'anima quelque peu.

— La Charte de l'Atlantique, bégaya-t-il. Les Droits de l'Homme et du Citoyen. Cou-cou... Les États-Unis d'Europe... cou-cou... Pour une

148

Chine démocratique, cou-cou... L'Europe nou-velle, cou-cou... La guerre pour finir les guerres... Gagner la paix... Fraternité... Démo-cratie... Cou-cou, cou-cou, cou-cou...

— Tulipe partout! se lamenta Paolo.

— C'est moi, Mr. Jones, votre ami de Soho. Ne me reconnaissez-vous pas?

Il chercha quelque chose de frappant, de familier, quelque chose qui jaillirait dans la conscience obscurcie de l'épicier comme un éclair dans la nuit. Ce fut alors qu'il commit cette erreur fatale.

— Gorgonzola! cria-t-il et, soudain, une grande clarté se fit sur le visage du Mahatma et il s'écroula, comme frappé en plein cœur...

Le sacrifice admirable du Mahatma de Soho donna au mouvement un élan nouveau et le porta jusqu'aux coins les plus lointains de l'Empire. La grande association humanitaire hindoue « Quittez l'Angleterre », créée dans le but de libérer la grande démocratie anglo-saxonne de la tutelle de l'Inde pour lui per-mettre de vivre indépendante dans le respect de sa religion particulière et de ses institutions jugées archaïques par les éléments progres-sistes hindous, entra dans l'arène. Sous le nom même de « Prière pour les Vainqueurs », l'asso-ciation entreprit une campagne de propagande, réclamant pour le Royaume-Uni une liberté complète et sans conditions, l'arrêt immédiat de toute mesure de répression contre les minorités britanniques aux Indes, ainsi qu'une aide économique immédiate et désintéressée... « Il ne suffit pas de vaincre, disait un slogan du mouvement, il faut encore savoir pardonner. » Un télégramme fut adressé sans délai au Mahatma Gandhi par cent intellectuels parmi les plus marquants de l'Inde et portant à la fin quarante-deux empreintes de sabots des vaches les plus sacrées du pays, connues pour la pureté de leurs mœurs, leur vie exemplaire et la qualité particulièrement purifiante de leur fumier. « Tulipe et fraternité ! » commençait le télégramme et il continuait en demandant au Mahatma de rendre sans délai sa liberté à l'Angleterre et de sauver ainsi, en même temps, la vie de l'éminent apôtre de la non-résistance britannique, le publiciste libéral Swami Mortimer Puss, lequel, depuis dix-sept jours, faisait une grève de la faim qui mettait ses jours en danger. Le Mahatma répondit que le sort de l'Indépendance anglaise était aux mains de l'Angleterre elle-même et que si elle réalisait, condition essentielle, l'union de tous les éléments de sa population, l'indépendance suivrait. L'opinion publique de l'Inde se divisa alors en deux camps, l'un réclamant l'union d'abord et l'indépendance après, et l'autre, l'indépendance d'abord et l'union après. Des troubles sérieux éclatèrent à Delhi, à la suite d'une tentative de fuite du vice-roi; il fut rejoint au moment où il s'apprêtait à s'embarquer sur un destroyer, traîné de force dans son palais et enfermé à nouveau : le lendemain, le monde apprenait avec horreur qu'il commençait une grève de la faim. Interrogé par un journaliste neutre de New York, il déclara : «On n'obtiendra rien de moi par la force. Le règne de la force est terminé. La non-résistance résolue du peuple anglais viendra à bout de la tyrannie des rajahs hindous.» Cette déclaration fit courir un frisson d'espoir nouveau dans tout l'Empire britannique, y compris Hyde Park. Un certain mécontentement se fit alors entendre dans la nouvelle presse allemande : «Pourquoi cette distinction cruelle entre les vainqueurs et les vaincus? écrivait l'organe du parti social-démocrate *Der Stürmer*. Ne plantons-nous pas le même blé? Ne caressons-nous pas les mêmes chiens? Nos forêts murmurent-elles dans un autre langage? Dans nos champs le soir, nos vaches trop pleines meuglent-elles d'une autre voix que les vôtres? Nos oiseaux chantent-ils des chants de guerre? Les cheveux de nos filles nubiles sont-ils moins doux? La rosée palpitante ne monte-t-elle pas, chaque matin, sur nos fleurs les plus humbles?» Cet appel insidieux manqua son but et la presse européenne, difficile à égarer, y vit tout ce qu'il y avait à y voir, c'est-à-dire «une nouvelle manœuvre, habile, reconnaissons-le, du militarisme prussien en train de relever la tête». Pendant ce temps, le chômage chronique interdisait toujours aux ouvriers européens d'élever plus de deux enfants rachitiques à la fois; pendant ce temps, les gouvernements refusaient de lutter contre le taudis, faisant judicieusement remarquer qu'il valait bien mieux que la bombe atomique démolît des taudis que des palais de lumière et de salubrité; pendant ce temps, les gouvernements socialistes, appelés une fois de plus au pouvoir par des électeurs acharnés, pleuraient d'affolement sur le sein de leurs épouses et perdaient le sommeil, ne sachant plus que faire pour se faire pardonner : dissoudre le parti communiste, encourager les trusts, réduire les salaires, ou bien pouvaient-ils espérer de passer inaperçus jusqu'aux prochaines élections, en promettant de ne rien faire et de ne toucher à rien? Pendant ce temps, la terre était ronde, elle tournait, et l'humanité était une chenille géante, jetée sur le dos et tournant avec la terre; elle agitait désespérément ses deux milliards de pattes farouches et impuissantes et son rêve était un humble rêve d'infirme : pouvoir se lever un jour et marcher, sans peur, marcher! au lieu de demeurer ainsi prostrée, à agiter furieusement ses pattes, à tourner avec la terre.

Oncle Nat était assis au chevet de son ami,

une assiette pleine de purée froide sur les genoux. Il regardait la cuiller avec résignation.

— Patron, mangez un peu de purée.

— Je veux élever encore ma voix ! Je veux porter plus haut ma protestation !

— Mangez un peu de purée.

— Je réclame pour l'homme un monde meilleur et juste !

— Mangez un peu de purée, patron, s'il vous plaît.

— Laisse-moi ! Je proteste contre la condition humaine !

— Nous ne sommes pas ici pour protester, patron. Nous sommes ici pour bouffer de la purée.

Apothéose

Il faisait une belle journée d'août; New York baignait dans sa sueur; dans les rues, les ombres humides avaient un air vaincu et prostré et les hommes ressemblaient aux ombres; le ciel était très bleu, imperturbable, tout empreint de cette sérénité absurde que l'on voit seulement sur le visage des aveugles. C'était un dimanche, et, à Harlem, la 152e Rue avait été interdite à la circulation des voitures; la foule obstruait la chaussée et bouillonnait comme une eau inquiète; deux cordons de police s'efforçaient en vain de contenir les pèlerins qui affluaient des rues voisines. Au début de la journée, des vendeurs de glaces étaient venus se mêler à la foule et lui offrir leurs services, mais leur espoir de bonnes affaires avait fondu plus vite encore que leur marchandise; ils furent happés par la multitude béante, séparés de leur bien et recrachés enfin comme des noyaux de cerises à travers les cordons de police, gémissants et ruinés. Les pèlerins étaient tellement serrés les uns contre les autres que, suivant la remarque d'un policier, particulièrement écœuré par ce déferlement idéaliste, «si quelqu'un mourait là-dedans, on ne s'en apercevrait que cinq jours après, par l'odeur». Les disciples levaient vers la fenêtre du Sauveur, leurs visages ruisselants de sueur, aux yeux exorbités par la chaleur et la ferveur spirituelle, dans un état voisin de la suffocation. Les plus excités interpellaient la foule, l'invitaient à se recueillir, à suivre Tulipe dans la voie du sacrifice, à jeûner et à prêcher sa parole; quelques-uns priaient à haute voix, invoquant les trois mille quatre cents dieux des diverses religions encore en état de marche. Un camelot avait été avalé vivant par la foule; on l'entendait encore, de temps en temps, dans la clameur générale; il vantait sa marchandise d'une voix défaillante, comme on appelle au secours.

— J'ai des bretelles, très élastiques. Inusables. À des prix défiant toute concurrence!

— Ne poussez pas!

— Tulipe! Tulipe pour Président!

— C'est pour nous qu'il se laisse mourir.

— Tulipe à la Maison Blanche!

— Que faites-vous, nègres, que faites-vous pour vous rendre dignes?

— Ne poussez pas!

156

— Je vous le dis, son corps dégage une odeur de roses.

— Non, de lilas.

— Des bretelles de toute première qualité.

— Ne poussez pas !

— Tulipe au Sénat !

— Staline a promis de se rendre à la police s'il consentait à manger un peu de purée !

— Tulipe ! Tulipe à l'O.N.U. !

— À des prix défiant toute concurrence.

— À Moscou, ils vont tirer cent vingt coups de canon : le salut réservé aux capitales !

— Tulipe pour pape !

— Je vous le dis, une enivrante odeur de roses...

— De lilas.

— J'ai un nez, monsieur.

— Il ne suffit pas d'avoir un nez. Il faut encore le fourrer au bon endroit.

— Monsieur !

— Monsieur ?

— Vous n'allez pas vous battre devant SA demeure ?

— Tulipe ! Tulipe ! Tulipe pour Président ! Tulipe partout !

Un taxi arriva d'une rue voisine et s'arrêta devant le cordon de police. Leni descendit, un paquet de journaux sous le bras. Elle tendit un dollar au chauffeur.

— Vous venez pour voir le miracle ? dit le

chauffeur, en touchant sa casquette. Ma femme aussi doit être quelque part par là. Il y a des gens qui ont payé jusqu'à cent dollars une place à la fenêtre, en face ou à côté. Moi, j'ai dit à ma femme : Pour bien faire, il faudrait être là-haut, à côté du lit. Comment voulez-vous, de l'extérieur, savoir s'il y a eu miracle, ou non ? À moins que ce ne soit vraiment quelque chose de sensationnel, comme chez Paramount, vous savez : par exemple, qu'il s'envole par la fenêtre avec des ailes toutes blanches au derrière, une musique formidable et une voix de basse qui l'appellerait du ciel... alors évidemment... Maintenant, supposez que nous voyions soudain une simple colombe s'envoler de la fenêtre, est-ce qu'il faudra considérer que c'est le vrai truc ou non ? C'est bien difficile à dire. Les gens pourraient discuter là-dessus pendant des siècles, comme ils ont fait la dernière fois, vous savez. N'importe qui pourrait lancer une colombe, et les gens crieraient tout de suite au miracle, ils vous jureraient que c'est son âme qui s'envole ainsi. Remarquez bien : je ne dis pas que ce n'est pas son âme ; je n'en sais rien, je suis prudent, je ne dis rien. Mais je demande à voir...

— J'attends ma monnaie, dit Leni.

— Voilà, voilà, grommela le chauffeur.

Le taxi recula. Leni mâcha un instant son chewing-gum, mesurant la foule du regard, puis l'aborda. Elle se glissa entre deux agents qui surveillaient attentivement la fenêtre du grenier en jouant avec leurs bâtons.

— Regarde bien, Patrick. Ouvre l'œil. Ça peut le prendre n'importe quand, ce salaud-là.

— Je regarde bien. Mais je n'y crois pas.

— C'est déjà arrivé il y a deux mille ans.

— Ce n'était pas dans le même milieu.

— Laissez-moi passer, dit Leni. J'habite ici : je suis SA fiancée.

— C'est SA fiancée, je la reconnais ! hurla un fidèle. SA fiancée, frères ! Laissez passer SA fiancée !

Leni grimpa l'escalier envahi par des jeunes G.I. en état aigu de repentir et qui s'étaient à ce point identifiés avec les valeurs spirituelles de l'Inde qu'elle avait l'impression de se frayer un chemin à travers une foule de Gandhis sortis encore tout chauds du bain turc. Ils psalmodiaient, se tenaient debout sur la tête ou assis, les genoux croisés, dans la position yoga, ceinture noire, l'index et le pouce joints esquissant le signe zéro, point suprême de la méditation ; d'autres gesticulaient fébrilement, se lacéraient le visage avec leurs ongles et se tordaient par terre, l'écume aux lèvres, dans un véritable déchaînement de non-violence. Au premier étage, une nouvelle famille américaine typique, au complet, avec une chèvre, un rouet

à filer de la laine, une pancarte NOUS RENON-
ÇONS et quatre petits enfants en bas âge en
train de crever de suralimentation, se faisaient
photographier pour la couverture d'un maga-
zine à fort tirage spécialisé dans l'*americana*.
Des sacs de couchage, des roses à la Nehru
dans des verres d'eau, une cage avec un rossignol frappé de consternation dont l'œil rond
et stupéfait faisait penser à celui des vieux
bolcheviks sous Staline, ainsi que des paniers
de provisions, avaient été apportés par quelques
disciples qui faisaient déjà la grève de la faim
dans l'escalier depuis plusieurs jours, sans pour
cela cesser de se nourrir, car il s'agissait d'une
œuvre de longue haleine et ils avaient besoin
de reprendre des forces afin de pouvoir continuer indéfiniment leur jeûne. En quoi ils
n'étaient guère différents de Gandhi lui-même
car, selon la remarque faite plus tard par un
historien de l'époque, «Gandhi avait fait la
grève de la faim toute sa vie, mais, à la fin, il
a fallu l'abattre à coups de revolver».

Au troisième étage, Leni fut croisée par deux
membres du Réarmement Moral qui distri-
buaient de la bouse de vache sacrée aux fidèles,
avec des gestes onctueux. La foule s'écartait,
on la laissait passer avec le respect dû à celles
qui partagent la couche des saints et des mar-
tyrs.

Elle traversa le couloir, enjamba le corps

d'une jeune fille plongée dans un état mystique par la marijuana, poussa la porte et entra.

Le taudis était plongé dans une pénombre sale; les stores étaient baissés.

Une odeur d'étable vieille comme le monde la prit à la gorge. Elle entendit le mugissement d'une vache.

La première chose qu'elle vit fut deux individus décharnés assis sur la moquette parmi des bouteilles de whisky vides. Un chien sans race était couché entre eux. Ses côtes pointaient sous la peau flasque.

Biddle filait de la laine, Grinberg égrenait un chapelet.

— Nous allons bâtir enfin un monde meilleur, marmonnait Biddle, un monde basé sur Tulipe et le respect de la personne humaine; nous allons guérir les peuples de la rage nationaliste, donner à tous du pain, de la lumière, de la joie...

Il se jeta un peu de cendre sur la tête.

— Lorsqu'on me demande : «Notre patrie humaine est-elle gouvernable?», je réponds avec Léon Blum : «Non, tant qu'elle ne se gouvernera pas elle-même.» Lorsqu'on me demande : «Y aura-t-il, au moins, une majorité?» je réponds : «Oui, il y aura une majorité.» Lorsqu'on me demande : «Alors, quelle majorité?», je réponds : «C'est bien simple, celle qui se constituera d'elle-même autour de mon programme d'amour, de bonté, de pureté, de générosité... »

Oncle Nat était assis au chevet du mourant, l'assiette de purée sur les genoux.

— Là, là, patron, ne vous frappez pas, marmonnait-il. On n'a pas idée de se laisser mourir par écœurement. Le geste le plus méprisant qu'un homme puisse faire, c'est de rester vivant...

Tulipe était étendu sur le lit. Il portait sa tenue rayée de Buchenwald fraîchement lavée et repassée. D'une main, il serrait une miche de pain contre son cœur et de l'autre, faiblement, mais avec un sens admirable du geste, du mythologique et de la postérité, il semait les miettes autour de lui sur la carpette, comme on nourrit les oiseaux.

Son visage était hâve, creux, verdâtre, tordu par un sourire sauvage, où se lisait cette haine scorpionesque des hommes qui, pour se débarrasser de leur espoir humain toujours déçu et toujours renaissant, sont obligés d'en finir avec eux-mêmes. Sur le mur, au-dessus du lit, un disciple avait tracé les mots : TULIPE VAINCRA, suivis d'un sigle qui hésitait entre la croix, la faucille et le marteau. Un peu plus loin, il y avait les mots : DROGUEZ-VOUS LES UNS LES AUTRES.

— Pourquoi lui avez-vous mis ce chapeau

melon ridicule sur la tête? demanda Leni avec indignation.

Oncle Nat se pencha et souleva discrètement le chapeau. L'auréole du jeune idéaliste occidental éclaira la pièce de tout l'éclat de nos valeurs spirituelles, attirant les mouches.

— Ah! patron, patron! se lamenta le vieux réaliste. Je vous avais pourtant bien dit et répété ce qui était arrivé à Sammy-la-Semelle!

— Patron, appela Leni, c'est moi, c'est Leni! Me reconnaissez-vous?

Oncle Nat hocha tristement la tête.

— C'est trop tard, ma fille. Il nous coule entre les doigts comme l'eau pure. Ah! Seigneur, faut-il vraiment que nous vivions pour rien, pour en être toujours réduits à mourir pour quelque chose?

— Et pourquoi meurt-il, exactement? demanda Leni, avec cette rancune des filles qui se sentent moins aimées chaque fois qu'elles se trouvent en présence d'un amour universel.

Oncle Nat hocha la tête.

— Il meurt parce qu'il ne parvient pas à désespérer. Ça ne pardonne pas.

— ... En tout état de cause, psalmodia Tulipe, il faut tenir pour certain que notre non-violence résolue jouera dans le monde le rôle le plus éclatant et le plus écrasant...

Il se souleva sur le coude droit, regarda Leni.

Sur son visage fondu, le nez avait pris maintenant toute la place, le nez avait pris soudain de l'allure et de l'importance ; il occupait enfin le terrain et se dressait partout à la fois, tout seul, tout grand, comme un vainqueur. Le chapeau melon, sur la tête, avait le même air vainqueur et définitif, il était en train d'avoir tranquillement le dernier mot, mais ne vous frappez pas, nègres, car il faudrait bien autre chose qu'un nez, qu'un chapeau melon, pour empêcher mon rossignol de chanter.

— Connaissez-vous la bonne nouvelle ? murmura Tulipe. Ma fin proche sème le désespoir et le repentir dans le monde. Les brebis qui viennent à mes pieds brouter la bonne parole me disent que la haine et le mépris ont soudain quitté les cœurs. À New York le peuple jeûne. Les femmes, déjà, portent le deuil. Personne ne fait plus l'amour. Les églises refusent du monde. Dans le sein de leurs mères, les enfants s'arrêtent, hésitent et ne naissent plus. Un chien a parlé d'une voix humaine et une pluie de larmes est tombée sur les quartiers pauvres de la ville. Une grande vague de bonté a parcouru le pays, détruisant Wall Street et Hollywood. Les riches se dépouillent de leurs biens, une foule de Crésus se presse aux soupes populaires. Une fertilité inouïe se manifeste partout : trois fois en huit jours, les arbres ont porté fruit, et d'un même cocon une nuée de papillons jaillit, comme une fontaine multicolore. Dans Broadway, un miséreux a eu l'œil crevé par un bifteck qui lui est tombé du ciel. Des sources de lait jaillissent du sol dans le Bronx. En une nuit, un champ de blé a poussé dans la Cinquième Avenue et les chômeurs sont occupés à faire la récolte. Un Noir a été élu à la Maison Blanche. L'Amérique ne respire plus, la vie est en suspens, le souffle coupé, l'humanité se tourne enfin vers moi...

Il jeta quelques miettes autour de lui. Leni vint tout près de ce pauvre pêcheur à la ligne, accroché au bout de son propre hameçon.

— Ce n'est rien, patron, ce n'est rien. Vous avez trop chanté, voilà tout. Vous n'êtes pas le premier à qui ça arrive, ni le dernier. Mais attendez, je vais vous guérir. C'est bien facile : il n'y a qu'à lire les journaux. J'en prends un au hasard. Vous m'écoutez ?

— Mes oreilles sont ouvertes à la bonne parole.

Bon, je lis. Titre : « New York répond à l'appel du Blanc Mahatma de Harlem. » C'est en première page. Il y a une photo de la piaule, avec vous au milieu, sur un tas de fumier, entre la vache sacrée et le vieux nègre. C'est du joli.

— Il ne leur manque que le rossignol, grommela oncle Nat, mais celui-là, ils ne l'auront pas !

— Voici le texte : « Gala de charité. Une

165

grande semaine de bienfaisance, placée sous le patronage de l'élite généreuse de la société new-yorkaise, va commencer demain soir. Il s'agit de mettre à la disposition du Jeûneur une somme dont il usera librement pour sa grande œuvre de solidarité humaine "Prière pour les Vainqueurs". Sept nuits d'entrain et de gaieté sont prévues au programme... »

— Ne vous frappez pas, patron, supplia rapidement oncle Nat.

— Nous relevons au hasard une « Nuit de France », « nuit de champagne et de parfum, de toilettes inoubliables, dans un cadre enchanteur, tout entièrement voué au culte de la femme, dû au pinceau magistral de Lope Iscariote. Au cours de la fête, une charmante orpheline, tout spécialement venue de Paris et vêtue seulement de chiffons suggestifs, délicieusement arrangés par Coco Babar, cette grande dispensatrice de grâce et de bon goût, éveillera, nous en sommes sûrs, la pitié des plus blasés... »

Tulipe émit un son curieux, qui pouvait, si l'on voulait, passer pour un râle ou pour une question. Son nez parut plus grand encore, son chapeau melon encore plus sûr de lui, mais je vous dis, nègres, ce n'est pas ça, ce n'est pas ça qui empêchera mon rossignol de chanter.

— Hé! patron, supplia rapidement oncle Nat, hé! patron, surtout, ne vous frappez pas!

— Nous noterons également une « Nuit nubienne », « dans un décor évocateur de la jungle, au cours de laquelle les plus grands couturiers de New York présenteront leurs tout derniers modèles et où le g-string de la délicieuse vedette du strip-tease Rosee O'Ha sera mis en vente aux enchères à l'américaine au profit des enfants sous-alimentés d'Afrique... »

Tulipe ouvrit la bouche, mais il ne dit rien et que voulez-vous qu'il dît, en somme? Oncle Nat ouvrit la sienne également et fit voir ses dents, dont aucune n'était belle.

— « Faire du bien joyeusement, telle est la devise des organisateurs. Tout a été prévu pour le délice de l'œil, du palais et de l'oreille. Les plus grandes vedettes de la scène et de l'écran ont promis leur concours. Les menus les plus délicats ont été tout spécialement étudiés par nos chefs les plus réputés. Sous la direction de Doc Schmaletz, trois grands orchestres conduiront les danses. Les attractions les plus sensationnelles ont été prévues. D'ores et déjà toutes les places ont été retenues. » Et maintenant, termina Leni, tenez-vous bien, patron. « Mais une question préoccupe tous les esprits. Le jeune idéaliste vivra-t-il encore une semaine, ou bien sa fin prématurée empêchera-t-elle les festivités d'avoir lieu? »

Un instant, Tulipe garda le silence. Que voulez-vous, nègres, que voulez-vous qu'il dît?

— Oncle Nat.

— Oui, patron?

— Donnez-moi à manger.

— Oui, patron, merci, patron! hurla oncle Nat. Je savais, je savais bien qu'il faudrait autre chose qu'un gala de charité pour empêcher mon rossignol de chanter!

Il saisit sa casquette «Central Hotel» et s'élança.

— Ah! ils veulent danser! murmura Tulipe.

Il demeura prostré et silencieux jusqu'au retour du vieux nègre. Alors, il se leva... Et que vouliez-vous, nègres, que vouliez-vous qu'il fît? Il mangea.

— Patron, ne vous frappez pas!

Il mangea. Il mangea comme tremble la terre, comme souffle le vent, comme boit la mer. Écoutez, nègres : il avala la sanglante lumière du jour nouveau qui se lève, Belsen et Buchenwald, le petit village à côté et ses pêcheurs à la ligne, et il but toute la honte, et il mangea tout le pain sec des prisons. Écoutez, nègres : il engloutit tous les champs de coton et les plus grandes usines du monde, et tous les contes jolis qu'on murmure à l'oreille des enfants, et tout l'espoir qu'on donne aux hommes, et toutes les fleurs qu'on appelle sauvages, parce qu'elles poussent librement. Écoutez, nègres, écoutez : il mangea comme on refuse de se rendre, comme on dit adieu à l'aube, comme on pend Mussolini, comme on prend Berlin : mais lorsqu'il eut fini de manger, il avait très faim encore, nègres, et il y avait encore, sur terre, beaucoup, beaucoup à manger. Il engloutit alors Notre-Dame et les verts pâturages, et tout le bon pain blanc et tous les rossignols, et Roméo et Juliette, et les valeurs les plus sûres, de père de famille. Mais il avait faim encore et il y avait toujours, sur terre, beaucoup, beaucoup à manger. Il se mit alors à pleurer et il avala Wall Street, Ford et Dupont de Nemours, et toutes les troupes d'occupation, et les manuels d'histoire, et vingt mille tonnes de bombes en une seule nuit sur une seule capitale, et vingt siècles de civilisation et même davantage, et tout l'amour de Pétrarque, et toutes les boussoles, et l'étoile qui dit le chemin et celle qui ne dit rien, nègres, mais qui est si belle. Croyez-moi, il mangea comme jamais homme n'a mangé sur terre, mais, lorsqu'il eut fini, il vit qu'il restait encore de quoi crever de faim et de honte, de guerre et de mépris, de bêtise et d'espoir, d'amour et de beauté et de ferveur infinie pendant des millénaires. Alors, le cœur lui manqua. Les bras lui tombèrent. Et il sut ainsi, nègres, il sut enfin que, jamais, rien, jamais, n'empêchera le rossignol de chanter !

— Soyez bénis, souffla-t-il.

Et il s'affaissa.

— Patron!

Ils le soulevèrent, tous les deux, chacun par un bras.

— Hé! patron, supplia oncle Nat, vous n'allez pas vous frapper un grand coup, au moins?

— D'ores et déjà, grinça soudain Tulipe, toutes les places ont été retenues...

Il se redressa.

— Ô race traîtresse des hommes, éclata-t-il, couleuvre perfide, rampante et vile, moi qui t'ai prise dans la chaleur de mon sein... que ta joie soit dans la paix du monde! que jamais ne se taise le rire de tes enfants!

— Il bénit, s'affola oncle Nat, il bénit, je vous dis, là où il faudrait maudire!

— Que le choléra te pénètre! Que le pire destin soit le tien! Que tes femmes soient velues et chauves... Que jamais ne manquent le pain à tes lèvres, la lumière à tes yeux, la vigueur à ton corps! Puisses-tu demeurer dans la nuit des temps et dans le mystère des mondes comme la plus pure clarté qui soit jamais montée à la face du soleil!

— Vous bénissez, patron, gémit oncle Nat, vous bénissez toujours là où il faudrait maudire!

— Que tes mers boivent tes villes et tes

champs, que le dernier Noé coule avec son arche et que seul un âne surnage pour conter ton passé ! Ô prostituée stérile, aux entrailles par le mal de Naples pourries, que cet âne à perte des temps braille ton histoire, afin que dans les mondes futurs le rire ne se taise jamais !

— C'est ça, patron, c'est ça, se réjouit oncle Nat, faites-lui donc son affaire, qu'on en finisse...

— Que jamais à ta nuit ne manque le chant du rossignol, souffla Tulipe, et qu'il soit toujours ton excuse et ton pardon... Je ne peux pas ! râla-t-il, je l'aime trop !

Il fit cependant un suprême effort. Les veines s'enflèrent autour de ses yeux et dans son cou :

— Puisses-tu oublier le grec et le latin et que l'allemand devienne ta langue maternelle !

Quelque chose céda alors dans son cœur avec un craquement formidable. Il devint bleu tendre, puis violacé, puis vert. Un horrible sourire de triomphe poussa soudain sur ses lèvres.

— Ils ne danseront pas !

... Une clameur immense monta de la rue lorsque la fenêtre du grenier s'ouvrit largement, et le jeune idéaliste occidental, un chapeau melon sur la tête, une superbe paire d'ailes blanches au derrière, apparut et flotta un moment dans l'espace. De son bras gauche, il serrait contre lui une miche de pain et de sa main droite il prenait des miettes et les jetait à la foule, comme on nourrit les oiseaux. Il flotta ainsi gentiment, ici et là, semant les miettes sur son passage, puis soudain s'éleva avec une rapidité folle, comme aspiré par le ciel : on le vit, un moment, qui s'efforçait de sa main libre de maintenir son chapeau sur sa tête, puis il s'éloigna, devint plus petit qu'un point et disparut enfin tout à fait, mais pendant longtemps encore les miettes de pain continuèrent à pleuvoir sur la terre des hommes.

— *C'est tout, mon ami ? Vous avez fini ?*

— *Pukka Sahib ! Ne m'interrompez donc pas toujours au moment le plus pathétique et solennel. Car Tulipe continua à s'élever et il traversa des régions étranges et des nuages inouïs. Et les petits oiseaux, d'abord, tentèrent de le suivre, mais très vite l'air manqua à leurs petites ailes. Et Tulipe s'élevait toujours et sur son visage se lisait un air de vif intérêt. Et il traversa alors des régions encore plus étranges que les premières et des nuages encore plus inouïs que les précédents. Et c'est alors qu'il entendit l'air familier d'un très vieil orgue de Barbarie. Et il sortit soudain dans une grande clarté et son cœur battit très fort et il regarda autour de lui et IL VIT.*

Et il ouvrit la bouche pour parler, mais il ne trouva vraiment rien à dire et il chercha des mots qui conviendraient à ce moment historique. Et alors il toussa timidement, pour gagner du temps, et faisant enfin un pas en avant, il se découvrit et, levant le regard, il dit :

— *Docteur Livingstone, je présume ?*

1944-1945.

DU MÊME AUTEUR

Aux Éditions Gallimard

LE GRAND VESTIAIRE, *roman*. (Folio n° 1678)

LES COULEURS DU JOUR, *roman*.

ÉDUCATION EUROPÉENNE, *roman*. (Folio n° 203)

LES RACINES DU CIEL, *roman*. (Folio n° 242)

TULIPE, *récit*.

LA PROMESSE DE L'AUBE, *récit*. (Folio n° 273)

JOHNNIE CŒUR, *théâtre*.

LES OISEAUX VONT MOURIR AU PÉROU (GLOIRE À NOS ILLUSTRES PIONNIERS) *nouvelles*. (Folio n° 668)

LADY L., *roman*. (Folio n° 304)

FRÈRE OCÉAN :

   I. POUR SGANARELLE, *essai*.

   II. LA DANSE DE GENGIS COHN, *roman*. (Folio n° 2730)

   III. LA TÊTE COUPABLE, *roman*. (Folio n° 1204)

LA COMÉDIE AMÉRICAINE :

   I. LES MANGEURS D'ÉTOILES, *roman*. (Folio n° 1257)

   II. ADIEU GARY COOPER, *roman*. (Folio n° 2328)

CHIEN BLANC, *roman*. (Folio n° 50)

LES TRÉSORS DE LA MER ROUGE, *récit*.

EUROPA, *roman*.

LA NUIT SERA CALME, *récit*. (Folio n° 719)

LES TÊTES DE STÉPHANIE, *roman*.

Composition Jouve.
Impression Société Nouvelle Firmin-Didot
à Mesnil-sur-l'Estrée, le 26 avril 1999.
Dépôt légal : avril 1999.
Numéro d'imprimeur : 46886.

ISBN 2-07-040876-0/Imprimé en France.

89920